雅思王听力真题语料库

IELTS

（剑10版）

王陆 编著

愿每一位考生梦想成真

中国人民大学出版社

·北京·

图书在版编目（CIP）数据

雅思王听力真题语料库：剑10版 / 王陆编著. —3版. —北京：中国人民大学出版社，2015.4

ISBN 978-7-300-21067-4

Ⅰ. ①雅… Ⅱ. ①王… Ⅲ. ①IELTS-听说教学-习题集 Ⅳ. ①H319.9-44

中国版本图书馆CIP数据核字（2015）第070627号

雅思王听力真题语料库（剑10版）

王陆　编著

Yasiwang Tingli Zhenti Yuliaoku (Jian 10 Ban)

出版发行	中国人民大学出版社
社　　址	北京中关村大街31号　　邮政编码　100080
电　　话	010-62511242（总编室）　　010-62511770（质管部） 010-82501766（邮购部）　　010-62514148（门市部） 010-62515195（发行公司）　　010-62515275（盗版举报）
网　　址	http://www.crup.com.cn http://www.1kao.com.cn（中国1考网）
经　　销	新华书店
印　　刷	北京易丰印捷科技股份有限公司
规　　格	148mm×210mm　32开本　　**版　次** 2011年6月第1版 2015年5月第3版
印　　张	7.625　　**印　次** 2015年5月第1次印刷
字　　数	245 000　　**定　价** 36.50元（附赠光盘一张）

雅思听力语料与真题

语料魅力 国际化语音，大势所趋

现在已经不用再质疑语料的重要性了。不仅仅是雅思官方，连新托福考试都已经引进了国际化语音。是的，任何一种语言，如果要普遍接受，就需要被普遍的文化所容纳；任何一种考试，如果希望在全球落地开花，就需要与原有的测试文化相结合，有区别也有衔接；任何一种推广项目，如果希望能够引领全球风潮，就需要具备足够的先进性和实用性，这样方可保证可持续发展。语料就是这样的代表！

你还不了解语料吗？你已经out了！

还不赶紧来练习语料吗？没有练习过语料的学生要抓紧，否则你将虚度了你的雅思之旅！

从词汇库到语料库 与时俱进的词汇筛选与语料更新

《雅思王听力真题语料库》的单词、词组非常全面，而且会长期适用。语料库所配语音，也具有绝对的代表性。

听力词库分为三个部分：1. 通用词汇，也叫稳定性词汇。这部分词汇在英语中的使用频率非常高，出现在各个英语考试中，也出现在雅思听力考试的很多场景中，比如percent。这个单词看似简单，但是就是会有考生拼错。而这种错误，无论如何都不应该。2. 重要场景词汇，也叫较稳定词汇。主要是指雅思听力考试中常出现的场景，有别于别的考试，也有别于雅思考试的阅读和写作。比如教育场景，是雅思听力考试中的重要场景，也是口语问答中的常见场景。即使是新题，只要是跟教育场景相关的，就会有一些词汇是常使用的，比如academic。3. 特别场景词汇，也叫专属词汇。就是在很特别的场景下才会使用的词汇，属于"重磅炸弹"。但是即使使用的场景很少，因为是答案，或者跟答案相关，考生也必须会，比如wretched boat。这种词汇越来越少，但是只要有，"语料库"里面一定会及时收录的。

正是基于前两点的考虑，语料库才采用了这样的语料编排方式。有一些单词会出现在很多场景中，有一些单词则是每个场景都必须会的。现在这样的语料编排方式使得语料库中存在重点章节。这对于不要求8分的考生来说能节省大量时间。

语料库的15项革新　见证雅思听力王者风范

革新1：进一步完善词汇库（完全覆盖最新题库，凝聚《剑1》~《剑10》全部精华内容，以及所有听力机经词汇）。

革新2：将听力词汇分重点训练（名词、形容词和连读吞音优先训练）。

革新3：新增拼写规范，避免无谓牺牲（见"拼写规范"）。

革新4：补充训练方法，复习更为有效（见相关说明）。

革新5：提供速记模式（见"拼写语料库"）。

革新6：强化语法概念（见"复数听写"及"拼写语料库"中的"语法错觉"）。

革新7：词性分拣训练（这其实也是对语法的一种强化训练，提示考生注意卷面语法要求）。

革新8：循序渐进提高听音效果（先听名词和形容词，再听连读吞音）。

革新9：一书多用，避免位置记忆（首创"横向测试"和"纵向测试"）。

革新10：多语音训练，符合剑桥"语料"概念（这是全球听力测试的大方向，连新托福都引进了多语音测试）。

革新11：新增各种自学辅助小窍门，包括feedback表格、下划线和各种细节性说明。

革新12：提供《剑10》专用测试。

革新13：提供雅思王群答疑。

革新14：提供微信资料补充(公众微信号：ieltstop)。

革新15：提供辅助记忆卡（见附赠卡片）。卡片上附有顶级调香师特调的香味，有助于提神、缓解疲劳并提高记忆效果。卡片本身含教学法总结及复习提示内容。

从此，"雅思王"进入立体学习氛围。充分发挥每位学生的学习潜力，让耳（点听、复听），眼（拼写规范、识读），手（听写练习、速记），口（魔鬼跟读），鼻（特调香味）有机结合；提高反应和学习效率，达到最佳学习效果。

何谓女王范？　女儿身，男儿心，持翻江力，存定海心

每个人都有自己的梦想。走在留学之路上的每一位考生都希望能够选择

不一样的人生。在你开启你的追梦之旅的时候，首先需要具备扎实的功底和坚韧的性格。不骄不躁，有方法，有步骤，沿着正确的方向持续向前。

当然，你一定要认准一位优秀的老师。任何一位优秀的人都具备多重优秀的素质。很多优点汇在一起，才能成就某种强项。

师者，传道授业解惑也。教育行业原本就是一种最强调学习品位的行业。你想获得"道"吗？你想调整自己的学习理念，形成正确的学习观念吗？从雅思王开始。

来吧，一起开始听写语料库！打造扎实的词汇和语音功底，捕捉一切有用信息！管什么选择还是填空，一切都从专项训练开始！

《雅思王听力真题语料库》是扎实的专项训练手册。

《雅思王听力真题速成》是纯粹的真题加训练方法。

随后附上"雅思王英语养成日记"。你们将看到一代名师是怎样奋斗成功的。能够跟花儿十多年惺惺相惜、肝胆相照的人，必须足够睿智与宽厚，绝对可以作为每一位考生励志的榜样。

还等什么！

雅思年表　雅思王英语养成记

我在2000年参加雅思考试，从2002年开始跟王陆老师合作，这一点在《雅思王口语真题速成》里面我已经提及。很多学生好奇"雅思王"这个名字是怎么来的，我觉得用"雅思王英语养成日记"来概括这个历程更为合适。

雅思王英语养成记

年份	教学特点	主要教学成果	点评
2001年	王陆以完善真题样本为主要工作，为雅思教学提供最真实的教学素材和蓝本。	学生称王陆老师为"机经王"、"版本王"。《妙语连珠 舌战考官》首次出版，王陆以此开创了中外教联合授课的教学模式，为广大培训界所采用。	这一时期雅思真题比较有限，而学生和老师手里的素材也比较少。此时剑桥系列产品还没有在国内引进，因此，王陆老师所创下的样本库风格是很多雅思教学理论的基石。

2002年	王陆以发展样本库为主要风格，同时强化横向的教学比较。	王陆的讲座足迹遍及大江南北，预测准确，教学实用，学生们称她为"雅思王"。	此时的"妙语连珠"成为王陆的口语品牌之一。对样本库的研究处于发展阶段。口语话题数量逐渐增多，但是能把话题收集全的，无出王陆之右。而对听力真题的回忆也让王陆乐此不疲。除了在口语和听力上的造诣，王陆老师还跟考官合作编写了一套雅思图书，对雅思考试有全方位理解，并亲自教授词汇课。
2003年	此时对于真题的回忆相对较多。纯粹的真题复习工作量比较大，因此，王陆的教学开始从样本库过渡到样本库精华。	名气最大的是当年的网络下载版"807"听力词汇。	"807"虽说是词汇，但实际上建立在对剑桥出题原则深刻理解的基础上。有了"807"之后，《剑1》和《剑2》开始在国内引进。
2004年		"807"听力词汇进一步完善，从最初的807个过渡到1 000多个。	
2007年	此时的王陆开始强调训练与讲解，并且针对学生的特点提出有针对性的训练方式。	王陆有五大教学法： 1. 807（听力机经词汇，教学素材） 2. 点式听力法（听力素材，反应训练） 3. 魔鬼跟读法（听力素材，语音训练） 4. 复数听写法（听力素材，语法训练） 5. 妙语连珠（口语机经，教学素材，语料库雏形）	此时的《剑4》和《剑5》已经在国内引进影印版，雅思考试也随之调整。"807"依然有其实用价值，"点式听力法"则是建立在《剑4》和《剑5》的基础上的训练方法。"妙语连珠"将口语机经做到了最全。
2009年	对各种训练方式进行调整。	点式听力法不仅在雅思听力中使用，而且向口语融合；王陆在雅思口语教学中也进一步强调语法概念，跟听力中的复数听写法不谋而合。	对"807"和"妙语连珠"进行了完美更新版调整，以完善分类方式为主。"点式听力法"在《剑4》和《剑5》的基础上添加了《剑6》的训练内容。

2010年	考生在第三部分话题环节跟考官"无交流对答状态"日益严重，考生急需克服交流障碍。	提出"听说并进"的概念，强化考场沟通能力。王陆的听力高分班创造了若干9分奇迹。	《雅思王口语真题速成》的主要核心思想在此时形成。
2011年		让考生熟悉各种语音，强化语料概念，听说并进。	《雅思王口语真题语料库》和《雅思王听力真题语料库》在此时完成。这套书按照最新的雅思动态重新调整，并且包括了《剑1》～《剑8》中任何对现实考试有价值的内容，删减了一切对现实考试不具备指导意义的细节。
2012年			
2013年	调整听力题型比重。	对各种题型有了更为灵活准确的处理方式。	《雅思王听力真题速成》即将完稿；《雅思王听力真题语料库》全面修订，引入《剑9》内容。
2014年	进一步调整听力题型比重。	所有教学法全面升级。	《雅思王听力真题语料库》取得了骄人的教学成果，《雅思王听力真题速成》将点听、精听、跟读、复数听写、语法和听说并进等概念全面完善。
2015年	听力题型比重有所改动，《剑10》出版。	《雅思王听力真题语料库》和《雅思王听力真题速成》结合使用。	配合网络课程，全球考生受益。"语料库"（剑10版）问世，新增"点精训练"。增加qq答疑和微信补充资料功能。进入"立体学习"氛围。

考试培训 *真题与指南*

选书跟选课是一样的。大班课以老师的讲述为主。老师会对长期教学实践中观察到的学生常见问题进行有条理的讲述。内容全面，条理性、逻辑性比较强。在大班课上，学生之间的互动会比较多，取长补短，消息灵通。"一对一"是为考生量身定制的课程，学生跟老师的互动比较多，可以有针对性地进行训练和提高，效果显著。"真题速成"提出了听说并进的概念，横扫一切雅思教学中的模糊概念，提供完整翔实的雅思真题，不仅具有王者风范，恰似大班课上雅思王直抒胸臆，考生必读。"语料库"宛若"一对一"，有针对性地克服雅思分项弱点，强调实际语言应用，能够迅速强化语言训练的弱项，快速提分。

学习方法　教学与训练

这是一本强调"听音"的书。所以，在每个章节里面，首先要做的是听音测试。这是一本强调"训练"的书，所以每个章节会有feedback进行进度统计，全书还有统计分析。这是一本来自"真题"的书，所以具有广泛的适应性，所有的细节都不容错过。这是一本来自"实践"的书，所以有"横向测试"、"纵向测试"，循序渐进，一书多用。这是一本含有"复调性"编排的语料库，会有"混合语料"增大难度，也贴近考试。

从事雅思图书策划这么多年，看惯了考试变化的风风雨雨，也见到了雅思培训的种种变迁。雅思带给我们的是英语学习的进步和培训理念的改造，带给我和王陆老师的是友谊与奋斗的升华。

用一句我曾经的签名来纪念我跟王陆老师的合作：

眼泪与汗水齐飞，书稿共胶片一色。

如果你是学生，如果你真的很想念书，如果你真的爱"雅思王"，那么一起加入雅思王群，大家讨论"雅思王"，沟通学习经验，彼此互助。你也可以加入公众微信号ieltstop，及时获得学习资料。

《雅思王听力真题语料库》曾在一个月内连续加印两次，充分说明学生对书的质量和效果普遍表示认可。很多同学对于点听、精听、复听、跟读、语法和听说并进等概念有很强的好奇心，除了听王陆老师的课，还可以看《雅思王听力真题速成》。这是一本技法大全，也是最全面、最先进的题型训练手册。书中将精听与点听完美结合，真正实现听说并进，让学生从能力到分数全面提高。所有的解答均可以在雅思王答疑群或者答疑微信中完成。

雅思王1群号：189744985（满）

雅思王2群号：164120597（满）

吕蕾的公众微信号：lvlei1973

吕蕾的微博：http://weibo.com/lvlei1973

吕蕾的博客：http://blog.sina.com.cn/wonderfullei

12
12 蕾画

听说并进，能力与分数提升

——我的雅思心路

这套"语料库"对我来说是一种新的挑战。这几年，听力高分班的影响力越来越大，安排给我的口语课程数量有增无减。有时我晚上10点半才进家，只要上网就会看到"幸福花"的催促。友谊是一种压力，更是一种动力，但是更多的动力来自学生。我需要用最直接、最精练的方式提供一种训练方法，能够让考生在自学训练的时候把"听说并进"的概念贯彻到底。

在这里，我首先要澄清三个概念：

1. "听说并进"是能力上的并进，是不可分割的训练方式。听力材料来自实际的口语交流；而在雅思口语考试中，如果不能正确领会考官的意思，一定会影响考生对问题的回答。这种不能正确领会，有的时候是因为考生确实听不懂考官的词汇、短语、句型，有的时候是因为听得太少，不熟悉考官的语音。所以，即使是备战口语考试中，也要多听。而听力材料是国外实际生活中的口头表达材料，对考生的口语答案也有语言借鉴价值。

2. 每种科目的复习重点有差异。这一点是毋庸置疑的，因为听说读写分开测试的目的就是要从不同角度衡量考生的语言表现能力。比如听力除了"听音"，还强调速记、规范和文化常识；口语除了强调语音和文字沟通，还强调体势语和现场发挥；阅读强调快速浏览查找信息的能力；而写作则强调考生对问题的回答能够被快速地"一目了然"。

3. 训练是必备过程。任何理论都需要配合一定的训练素材，这样反复练习才能正确理解和掌握。毕竟上考场的是考生自己，发挥好坏有赖于考生自身能力。除了考试之外，当考生完成雅思考试，拿到签证，走向理想的学校或者领域，学习能力依然会对考生的未来发展起到重要作用。因此，认认真真地面对备考的每一天，会让考生不后悔雅思的备考历程。

在这套"语料库"里面我还做了三项特别的工作：

1. 强化语料特点，比如听力和口语语料中，一套材料会用不同语音朗读。

这一点非常重要。因为在实际的雅思考试中，雅思听力的语音呈多样化。与口语不同的是，这些朗读的voice actors受过专门的发声训练，音质清晰，但是发音技巧多样。所以考生会出现"反应"问题。在同一场中，考生也许会听到不同的口音，包括英音、澳音和印度音。这也会让考生产生不适应。口语考官来自很多地方，不仅限于伦敦。写作和阅读强调视觉比较和应用比较。这样考生上考场时就会胸有成竹。

2. 全部材料来自真实的雅思考试。

"语料库"中所有材料首先建立在对2015年之前所有的语言图书的研究成果，特别是对《剑1》~《剑10》的计算机分析成果之上；其次来源于广大考生所提供的考试回忆，同时还包括我个人几十次上考场的经验。

3. 对所有的语料配合适当的训练方法。

感谢吕蕾老师对我的教学法的归纳。不管哪一种教学法都是为了提高学生的能力和分数，但是不同的教学法解决不同的问题，也需要不同的训练材料。

在这套书即将完成之际，感谢考生在我博客里面的热情提问和鼓励，也感谢微博中的朋友对我的关心和支持。雅思给了我机会，让我能够完成作为一名培训老师帮助学生获取高分的心愿；我也希望考生能够抓住雅思考试这个机会，让自己的英语水平更上一层楼。

在本书编写过程中，王艳薇、江源、姜锋、李晓晴、苗琪云、王颖、张靖娴、陈志爽、贾红梅也参与了资料搜集和部分编写工作，在此一并表示感谢。

王陆微博：http://weibo.com/ieltswang

王陆博客：http://blog.sina.com.cn/ieltswang

使用说明

——雅思王听力语料库学习方法

我最不爱写东西，但最近有太多的同学问我关于语料库的学习方法，于是就有同学建议我写一份使用说明，省得我一个一个地回答。那我就写一下吧，写得不好，大家将就着看看就行了。

雅思王听力语料库是一本对学习雅思听力比较有帮助的词汇书。当当、亚马逊卓越上都有卖的。

目前有下图五种封面的书，但是我建议大家买"剑10版"。

2011版的必会内容：第6章、第7章、第9章。

2012版的必会内容：第3章、第4章、第5章。

2013版的必会内容：第3章、第4章、第5章。

IELTS版的必会内容：第3章、第4章、第5章。

剑10版的必会内容：第3章、第4章、第5章、第11章。

在这四章听写正确率达到95%以上之后，大家就可以继续练习听写其他章节了，这样雅思听力的分数会提高得更快。如果时间不够，那么就只能先好好完成这四章了。

任何事情都是有priority的，所以大家不用问我其他章节有没有必要完成。肯定是有必要的，但是如果来不及，那就只能先保证这四章了。

第11章是重点章节，其重要性等同于第3、4、5章。这是第3、4、5章之后的考前测试，包括《剑10》及《剑10》出版之前所有题库中新增核心语料及高频语料测试。若遇重复词汇，亦需每次都能快速反应并准确拼写。

大家一般只需要练习横向听力就可以了，纵向听力不用练习。纵向听力是给雅思听力已经考到了7分、有多余时间、希望能得到更高分数的同学准备的。其他同学不用练习纵向听力。

听写方法：

例如，2013版的第3章一共有9个小节。当各位同学听写第3章Test Paper 1时，不要使用暂停键，连续听写，然后对答案，将错的地方抄写到第1遍错词本上，最后背诵记忆这些错词。注意：继续听写下一节，即Test Paper 2。（大家千万不要一遍又一遍地听写同一个小节，想在当天达到90%的正确率。说实话，即使当天同一个小节听写了五六遍，正确率达到了90%，过几天还是会忘的，所以大家不要这样浪费时间，要快速地把所有内容都听写一遍才是关键。）Test Paper 2与Test Paper 1一样，也是听写、改错、抄写错词，最后背诵记忆。

大家一定要尽量快地把整个第3、4、5章听写完一遍，并且在听写过程中绝对不可以使用暂停键。虽然在听写第5章的时候，绝大多数的同学都会出现跟不上的情况，但是也不可以使用暂停键。

很多同学问我几天听完三章比较合适？我希望是一天一章，但是很多同学做不到。那么就按以下标准吧。

最好：每天9个小节。

其次：每天6个小节。

再次：每天3个小节。

请大家量力而行。

为了给语料库的每个版本的书挑录音的问题，我自己一天能听写完整本书。我和出版社编辑都已经尽可能地完善每一个版本的书，如果还有疏漏，恳请大家见谅。

在这三章内容全部听写完一遍之后，可以进行第二遍语料库的听写，将错误总结到第2遍错词本上。然后进行第三遍语料库的听写，将错误总结到第3遍错词本上。然后进行第四遍语料库的听写，将错误总结到第4遍错词本上。然后进行第五遍语料库的听写，将错误总结到第5遍错词本上。以此类推……

我不在乎大家听写了多少遍，我只要求95%以上的正确率，呵呵，很过分吧。但是如果你只肯听写一遍，正确率在60%左右，肯定是会影响分数的。

在考试前一周，大家只需要复习自己的最后一遍错词本就可以了。因为这些词都是硬骨头，你听写了那么多遍都没有记下来，就说明……哈哈哈，你对这些词不敏感。所以考前一定要强化一下，对大家肯定会有帮助。

特别强调：如果各位同学想练习效果更好，可以用加快速度的方式来练习：

第一遍：1倍速度

第二遍：1.4倍速度

第三遍：1.6倍速度

（当然，第5章就不用这样了，现在1倍正常速度都写不出来呢。呵呵呵。）

听完第3、4、5章就用第11章做测试。

在这四章听写完之后，接下来要听写的重点章节是：2011版的第2章和第3章，或是2012版、2013版、IELTS版以及本版次的第2章和第8章。用完成前面三章的方法来完成这两章的听写吧。

在这里想和大家说一下，并不是每个人都是有毅力的，大家能做多少就做多少，不要太纠结。我的毅力也是特别差的，呵呵呵，我只是要求大家，其实我自己根本做不到的啦。

最后，感谢Z小婷同学的语料库听写图片。然后把大家夸我的微博也show off一下。

哈哈哈，祝大家雅思考试成功！！

//@环球王陆：又一个让我感动的学生。。//@Z小婷_Jessie：@环球王陆 陆陆老师，这全是听写语料库的啊，因为一战的时候把剑桥基本听光了，没东西练，只要天天听天天写了，哎，真听您的就好了//@Z小婷_Jessie：而且几乎全部A4纸都是用双面~都成光辉岁月了~

@Z小婷_Jessie：我参加了新浪Qing（Qing.weibo.com）活动#365#每天一篇博文，用心写出时光的精彩，记录了今天：快考试的这一阵子，只知道天天听，天天写，不知不觉~~占了大半个床铺http://t.cn/zWuZmZo，活动地址：http://t.cn/Sc2PZN

⬆收起　↪查看大图　↺向左转　↻向右转

回复@Cindy媛宝:啊。。。啊。。这么牛。。嘻嘻。//@Cindy媛宝:老师,我是之前上您听力网课的学生,后来用您教的方法练了一段时间,听力8.5,可惜没有9,不过对于第一次考雅思的我来说已经是惊喜,现在在英国了😊谢谢老师

回复@爱肉村的猫:嘿嘿。。。我又高兴啦。。。😺 //@爱肉村的猫:lulu老师要注意休息哦~过来给您汇报 我是您7月份网络直播班学生 上次考听力只有6这次7.5 虽然不如大牛们 但也很开心了 谢谢lulu老师 我还要继续努力写作和口语~~还有听力语料库非常有用~~😋😊

邱不爽:再说一句~最后语料库我是全部听完了~正确率一直是100%!!!最后走火入魔一定百分百才罢休~我想要不是我那一次考试20多道选择题,说不定能更高~不过很开心呢!!能说是您的学生不?????嘿嘿!(今天 19:02)

评论 我 的 微博: "//@环球王陆 😊 //@环球英语…"

来自新浪微博   回复

邱不爽:陆陆老师! 刚查到421的成绩~总分7.5!! 听力8诶! 您肯定无法想象我global listening的能力有多差,可是雅思听力却很好! 这说明什么????语料库又拯救了一个听力白痴~回想埋头听写的那段日子啊! 同学都觉得我疯了!!!! 400张a4的纸,无数支笔弹笔! 关键是剑八最后只做了一套题,点复各一次而已!(今天 18:59)

评论 我 的 微博: "//@环球王陆 😊 //@环球英语…"

每次测试完都要填写后面两个表格,监督一下自己的学习进度。

大家加油啊……

任务完成表

第一遍

3.2								
4.2	4.3							
5.2								
6.3	6.4	6.5	6.6	6.7	6.8	6.9	6.10	6.11
7.2	7.3	7.4						
8.2	8.3	8.4	8.5	8.6	8.7			
9.2								
11.1	11.2	11.3	11.4					

第二遍

3.2								
4.2	4.3							
5.2								
6.3	6.4	6.5	6.6	6.7	6.8	6.9	6.10	6.11
7.2	7.3	7.4						
8.2								
9.2								
11.1	11.2	11.3	11.4					

第三遍

3.2								
4.2	4.3							
5.2								
6.3	6.4	6.5	6.6	6.7	6.8	6.9	6.10	6.11
7.2	7.3	7.4						
8.2								
9.2								
11.1	11.2	11.3	11.4					

正确率表

第一遍

3.2	%																
4.2	%	4.3	%														
5.2	%																
6.3	%	6.4	%	6.5	%	6.6	%	6.7	%	6.8	%	6.9	%	6.10	%	6.11	%
7.2	%	7.3	%	7.4	%												
8.2	%	8.3	%	8.4	%	8.5	%	8.6	%	8.7	%						
9.2	%																
11.1	%	11.2	%	11.3	%	11.4	%										

第二遍

3.2	%																
4.2	%	4.3	%														
5.2	%																
6.3	%	6.4	%	6.5	%	6.6	%	6.7	%	6.8	%	6.9	%	6.10	%	6.11	%
7.2	%	7.3	%	7.4	%												
8.2	%																
9.2	%																
11.1	%	11.2	%	11.3	%	11.4	%										

第三遍

3.2	%																
4.2	%	4.3	%														
5.2	%																
6.3	%	6.4	%	6.5	%	6.6	%	6.7	%	6.8	%	6.9	%	6.10	%	6.11	%
7.2	%	7.3	%	7.4	%												
8.2	%																
9.2	%																
11.1	%	11.2	%	11.3	%	11.4	%										

目录

CONTENTS

Chapter 1

雅思王

精解听力

语料库

IELTS

1.1 正确掌握听力语料训练

基本语料训练

先做测试，然后对照答案评估测试结果。这部分由英音正常速度朗读。重点解决考生"不熟悉"和"记录慢"这两种常见问题。

特殊语料训练

在基本语料训练的基础上发现自己的薄弱环节，然后进行测试。这部分语料由带有一定口音的Voice Actors朗读，朗读速度较快，重点训练考生熟悉语音和快速反应。

魔鬼跟读

在雅思听力中，Hallie提倡"魔鬼跟读法"。考生要充分适应自己不熟悉的语音和不熟悉的表述方式。而在口语中，我提倡"自然跟读法"，就是要使自己的口语尽量字正腔圆，不会让考官产生歧义（详见《雅思王听力真题速成》和《雅思王口语真题语料库》）。

加速训练

在第3、4章需要用提速的方式来提高考生的反应速度。

超越语料

语料来自我们的实际应用，属于每一位考生，属于每一位为理想而奋斗的人。听力语料对雅思口语也有很好的借鉴作用，因此，需要考生认真掌握。

考生不要先看答案，而是要先进行听音训练。

在听音训练之后，再对照答案寻找差距。

1.2 那些你必须知道的语料知识

1 陆陆老师，我知道雅思考试必须掌握一定的词汇，但是我不知道语料是什么，有多重要？

王陆：这个问题问得很好。很多同学熟悉词汇，但是在实际考试中，总觉得单词"有劲使不上"，这就是因为学生不熟悉"语料"这个概念。英语的语料是在实际使用中真实出现过的语言材料，包括但不仅限于词汇。语料是动态的，也是经过提炼和分析的。我们都知道英语没有"普通话"，在实际应用中，很多语料的用法因人而异，甚至因地而异。这样，单纯的"基本"应用跟实际生活有很大的差异，所以雅思强调"语料库"，这也体现了剑桥考试的先进性。你们仔细看《剑7》和《剑8》，包括《剑9》和《剑10》就会发现它们都对语料库做了特别的标志，就是corpus那个单词。

2 既然语料库很重要，为什么还需要背单词？

王陆：单词是基本应用，就如同要先学会走才会跑一样。

3 雅思听力的词汇量究竟有多大？

王陆：雅思听力词汇很丰富，但是主要围绕着国外常见的学习和工作场景。其中需要拼写的有2 000~3 000词汇，另有1 000个左右词汇会影响考生的答案判断。

4 雅思听力的语料大概有多少，有什么特点？

王陆：听力的单词本身不难，但是会涉及很多灵活运用，所以语料的作用非常重要。比如oo在剑桥的语料库读成double o，由于连读、略音和变调，会很容易误听成w。因此，我们把剑桥的语料库分为九个部分。第一部分是拼写规范（第2章），凡这里出现的拼写，都是经过考证的，属于正规拼写。第二部分（第3章）是名词语料库，第三部分（第4章）是形容词副词语料库。这两部分是最容易出现答案和提示信息的地方。在考场上，考生先预读题目，然后根据预读结果对答案进行语法评估，如果能够估测答案的词性，在听的过程中就更有助于辨别答案。第四部分（第5章）属于连读、吞音、混合语料训练。这部分包括连读、吞音、变调等实际应用。所以，第3、4、5章无疑是本书的重点。第五部分（第6章）是复数拼写语料库，主要源自剑桥真题，考生需要熟悉名词的复数形式，让自己的耳朵对剑桥的答案具有更强的亲和力。这也体现了听力中的语法特点。第六部分（第7章）是拼写语料库，提供常见拼写技巧，彻底解决拼写错误问题，能大幅度提高填空题的有效得分率。第七部分（第8章）是生存语料库，多数出现在Section 1和Section 2，这里有基本信息的各种语料。第八部分（第9章）是动词语料库。第九部分（第10章）是流动性语料库。这些语料往往会标志着新的信息出现或者能够表示态度、观点等。这部分语料源自《剑1》～《剑10》中的答案出题点，对于判断答案的正确性有很大帮助。这九部分构成了完整的语料库。新增加的第11章，是综合语料训练，重要性等同于第3、4、5章。

5 陆陆老师，雅思听力语料应该怎么掌握？

王陆：雅思听力有五大难点：反应、拼写、生词、发音和单复数。因此整本语料库以听写训练为主，每个单词都需要快速准确反应，正确拼写。有四个过程。第一步，基本语料听写。这部分语料主要是英音。考生先做听写练习，然后比对书中的答案，并且在每章后面的统计表里面填写评测结果。之后在背诵的时候要结合CD光盘，光盘里面有专门的"听力语料库完整版"。第二步，特殊语料听写。还是同一份材料，读音相对国际化，语速也快一些。考生在听完之后，继续完善评测结果。第三步，魔鬼跟读。通过跟读训练，强化自己的耳朵对音的辨别能力。这三步算一个周期。之后你会发现自己的听力有实质性的飞跃。最后一个阶段叫做"超越语料"，也就是说，你已经把这些语料充分掌握，自如地运用到听力和口语中去，达到了听说并进的效果。

6 您强调听说并进，那么听力语料和口语语料可以同步背诵吗？

王陆：有一定重合，但是对于不同科目的考试，在语料的掌握上会有不同的侧重点。

7 这本书仅仅是听力语料库吗？

王陆：包括但不限于听力语料。这本书是通过提高考生的语料水平来直接提高考生对答案的敏感度。在整个语料库编排过程中，渗透了应试技法的讲解，与雅思听力的答题方法相吻合。比如，雅思听力考试在周四或周六上午9点正式开始，持续30分钟，在听完音之后有10分钟时间抄写答案。在听音记答案的过程中，可以使用各种帮助记忆的内容和笔记形式。在本书中就有章节介绍了多字母长词如何用缩写以及其他的笔记形式。这样可以保证考生在写答案过程中能记住自己所写内容。

8 听力考试中只采用英国口音的英语吗？

王陆：不是的。考生在考试中会听到多种口音的英语，所以请大家要熟悉各种发音，尤其是英音和澳音。同学们必须尽力去适应这些口音。在准备考雅思听力期间，尽量少听美语的东西。口语考官有美国人，但是不多。所以在《雅思王口语真题语料库》中只有少量美音的东西。

9 听力答案可以全大写吗？

王陆：在听力中，可以采取答案全大写的形式。什么是全大写？MONDAY、PRESENTATION、TUTORIAL、SEMINAR GROUPS、FEBRUARY 18 (18

FEBRUARY, 18TH FEBRUARY, FEBRUARY 18TH, 18th FEBRUARY, FEBRUARY 18th）都给分，另外，TH或th放在右上角也给分，请大家不要怀疑，我自己考试验证过。如果采取这种方法，必须所有的答案都大写，不可以不确定的大写，确定的小写。要保证一致。我自己采用的是全大写，我的雅思成绩听力9分。全球评分标准是一致的。

10 点式听力是什么？

王陆：要求考生在平时训练的过程中，不使用暂停键，抓住核心语料，快速反应，正确拼写。这种训练方式跟考场实际环境是一样的，是考生必须掌握的训练方法。书中的相关章节会有详细说明。

11 雅思听力中为什么要强调魔鬼跟读法？

王陆：雅思听力中，口音呈多样化。其中有一些口音是考生不适应的。魔鬼跟读法主要提高考生的语音敏感度，书中的相关章节会有详细描述。

12 您为什么强调复数听写法？

王陆：这一点非常重要。所谓的复数听写法是指不仅要能够反应出名词的单数形式，也要关注名词的复数形式。因为汉语中，我们对"们"的概念比较弱，这就造成了英语中不喜欢加s，这样会引发语法错误。比如，我们汉语中会说"桌子，三张桌子"，但是不会说"桌子，三张桌子们"，可是英语中却是"desk, three desks"。有一些单词复数形式会有特殊变化，因此就更需要引起考生注意。但是这部分单词不是很多，只要重点掌握书中所出现的内容就可以。

13 记不住词义怎么办？

王陆：听力考试中强调听见声音，写出答案，要求快速拼写的能力，而听懂意思有时是第二位的。例如，听见psychology，正确拼写是第一位的，听懂意思是第二位的。

14 什么时候开始背单词？

王陆：越早越好，最好在上辅导班之前去除词汇障碍。

15 什么时候开始准备语料？

王陆：越早越好，只是这个过程会伴随你整个备考，乃至整个英语学习过程。

1.3 全书教学法及训练法大观

特别说明：这些方法都是Hallie的学生在实际考试训练中验证过的，是雅思听力备考必须掌握的内容。

教学法	教学特点	主要针对问题
魔鬼跟读法	跟读最不适应的语音	反应、发音：解决对口音的"误解"或者不敏感
点式听力法	不使用暂停键，抓住核心语料	反应、生词：还原考场状态，调整训练习惯
复数听写法	强化单复数拼写规则	单复数：对单词的复数形式不适应
训练法	编排特点	主要针对问题
联想记忆法	发挥联想记忆	生词：提高语料记忆效果
拼写规范	强调拼写正确率	拼写：按照规范进行拼写；记忆语料的过程中不出现不必要的拼写错误
缩写法	强调快速记笔记	反应：提高听写效果，避免遗漏信息
词性分配法	通过预读，能够对答案的词性做预判	反应：可以排除模糊答案
横向测试	在同一个表格里面，横向的语料之间具有某种相关性	反应、生词、发音：通过联想记忆提高掌握效果，通过语音比对提高分辨能力
纵向测试	在同一个表格里，纵向的语料之间相关性较差，虽然跟横向测试的文本相同，但是测试效果不同	反应、发音、生词：纵向测试与横向测试采用的语音、语速不同。这样可以过滤掉"假记住"现象
混合训练法	把多种语料混合训练	反应、发音、拼写、单复数：语料在实际运用中包含了多种元素。混合训练具有更强的实战效果
点精训练	从词汇到句子	见《雅思王听力真题速成》

1.4 Feedback Card 说明书

		漏听	生词	对发音不熟悉	连读	拼写错误	大小写错误	单复数错误
第一循环	基本语料							
	特殊语料							
第二循环	基本语料							
	特殊语料							
第三循环	基本语料							
	特殊语料							

　　考生在每一轮测试结束之后，都要统计一下自己错误的原因。常见的原因如下：

A．漏听

　　漏听代表对信息非常熟悉，但是当时走神了，所以影响分数。考生一定要把漏听个数减少到2个之内。

　　很多考生说自己听第二遍正确率立刻上来了，其实还是对单词不敏感，反应有问题。还有就是因为忙着拼写上一个答案，因为在思考，所以没有听到下面的答案。说到底，还是听力水平有问题。

B．生词

　　如果答案所需单词是考生以前没有背过的，那么考生只需记住这个单词的发音和拼写就可以了，不要太在意有没有填出答案。

　　如果大家需要获得7分以上，40个答案中的生词应该不超过4个。

C．对发音不熟悉

　　这个是非常严重的问题，也是影响听力答案的主要原因之一。

　　如果考生在对照答案的过程中发现有些单词不是生词，但是没有听到，那么有可能就是考生对于发音不熟悉，考生要多读几次这个单词，争取能够很快捕捉到单词。雅思考试语音国际化，有些单词的读音不是考生熟悉的声音。例如：雅思考试中schedule 读成/'ʃ-e-djul/，而正常考生熟悉的是/'skedjul/，所以考生一定要注意。

D. 连读

如果考生连续几次都没有听到CD中的答案，或者对照书籍也觉得不像，那么考生要注意是不是CD中有连读现象。连读就是指类似于把I am going to弱读为I'm gonna 这种现象。考生要跟随CD多读几次，把发音记住，不要去理解，因为没有一定的规则，考生只要记住就可以了。

E. 拼写错误

如果考生把答案听到了，却出现了拼写错误，这是最糟糕的，考生一定把拼写错误减到0个。

F. 大小写错误

考生有时混淆答案大小写，这在雅思考试中是不允许的，考生对照答案时一定要仔细对照大小写。建议在真正考试中，采取40个答案全部大写的形式。

G. 单复数错误

有些考生只把名词听出来了，但是没有写复数，这种答案也不给分。考生一定要注意。在本书中，有专门的章节介绍单复数问题。

Chapter 2

雅思听力
语料库
拼写规范

IELTS

2.1 通用拼写

下述拼写属于英美通用方式，在考试中不会因此而减分。左右两种都可以。

British	American
acknowledgement	acknowledgment acknowledgement
adviser	advisor
ageing	aging
aeroplane	airplane
aluminium	aluminum
analogue	analog
annex, annexe	annex
apologise, apologize	apologize
archaeology	archeology, archaeology
artefact	artifact
axe	ax, axe
analyse, analyze	analyze
behaviour	behavior
cancelled	canceled, cancelled
catalogue	catalog(ue)
centre	center
cheque	check
chilli, chili	chili
colour	color
cosy	cozy
counsellor	counselor
criticise, criticize	criticize

British	American
defence	defense
dialogue	dialog(ue)
disc, disk	disk
doughnut	donut, doughnut
draught	draft
emphasise	emphasize
enquiry, inquiry	inquiry
enrol	enroll
favour	favor
fibre	fiber
flavour	flavor
fulfil	fulfill, fulfil
glamour	glamour, glamor
grey	gray
harbour	harbor
honour	honor
jail, gaol	jail
jewellery	jewelry
judgement	judgment
kerb (*n.*)	curb
kilometre	kilometer
labour	labor
licence (*n.*)	license
litre	liter
manoeuvre	maneuver

British	American
✓ metre	meter
mould	mold
naught	nought
neighbour	neighbor
✓ offence	offense
organisation	organization
parlour	parlor
plough	plow
✓ practise (v.)	practice
✓ practice (n.)	practice
✓ programme	program
pyjamas	pajamas
✓ realise	realize
rigour	rigor
saviour	savior
savour	savor
sceptical	skeptical
skilful	skillful, skilful
speciality	specialty
sulphur	sulfur
theatre	theater
traveller	traveler
✓ travelling	traveling, travelling
tyre	tire
✓ vice	vise, vice
vigour	vigor
woollen	woolen

2.2 两种拼写

adviser=advisor

archaeology=archeology

barbeque=barbecue

catalogue=catalog

cheque=check

commonsense（连写，形容词）

common sense（常识）

drop off

drop-out

drop out

dropout

enrollment=enrolment

environmentally friendly=environmentally-friendly（空格或加连词符均可）

fibre=fiber

jewellery=jewelry

licence=license

website=web site

programme=program

high-rise（有连字符，代表高层的）

high rise（有空格，代表高层建筑）

open-book（有连字符，表示开卷）

open book（有空格，表示容易被人看透的人）

hot-dog（有连字符，译为"表演技巧"）

hot dog（有空格，译为"热狗"）

second-hand（有连字符，译为"二手的，旧的"）

second hand（有空格，译为"秒针"）

specialised=specialized

traveller=traveler

travelling=traveling

2.3 必须连写的词

1. 第一组：A~E

airport	antibiotics
automobile	bookkeeper
bookshelf	bookshop
bookstore	boyfriend
breathtaking	checkbook
childcare	cocktail
countryside	crossroads （连写，必须加s）
deadline	downtown
downward	employment
extracurricular	eyesight

2. 第二组：F~H

feedback	flashlight
footprint	girlfriend
greenhouse	greyhound
guidebook	handbook
headquarters （连写，必须加s）	headphones （连写，必须加s）
headmaster	healthcare
heartbeat	helpline
hothouse	household
housekeeping	

3. 第三组：特别词汇

不加连字符

inter	interlibrary	注意：inter这个前缀与后面的词99%都是连在一起的，不用加连字符，也不要空格。在考试中，如果不确定，连写正确率更高。
	interpersonal	
micro	microbiology	注意：micro这个前缀与后面的词99%都是连在一起的，不用加连字符，也不要空格。在考试中，如果不确定，连写正确率更高。
	microchip	
	microscope	
	microwave	
mid	midday	注意：mid这个前缀与后面的词99%都是连在一起的，不用加连字符，也不要空格。在考试中，如果不确定，连写正确率更高。
	midmorning	
	midnight	
	midsummer	
	midterm	
	midweek	
	midwinter	
mini	minibus	注意：mini这个前缀与后面的词结合在一起，有加连字符的，也有直接写在一起的，需要特别背诵。
	minicab	
	miniskirt	
motor	motorbike	注意： motor这个前缀与后面的词结合在一起，有加连字符的，有直接写在一起的，有加空格的，需要特别背诵。
	motorboat	
	motor car	
	motorhome=motor home	
	motorcycle	
	motor racing	
	motorway	

over	overall	注意：over这个前缀与后面的词99%都是连在一起的，不用加连字符，也不要空格。在考试中，如果不确定，连写正确率更高。
	overhead	
	overseas（连写，必须加s）	
	overstate	

4. 第四组：I~R

incoming	kilogram
landlady	landlord
landmark	layout
lifestyle	outskirts（连写，必须加s）
loudspeaker	membership
network	newsletter
newsreel	notebook
noticeboard（常连在一起，但也有分开写成notice board）	
online=on-line	lookout points（look与out连写，表示观望点）
roommate	

5. 第五组：P~S

painkiller	passport
password	photocopy
postcode	psycholinguistics
railway station	raincoat
raindrop	rainwater
sandglass	sandwich
seafood	shoplifter
snowboarding	soundproof

sportswear（连写，注意中间的s）	storehouse
subcommittee	submarine
subtitle	subtopics（这个词在词典上没有，但是连写可能性更大）
subway	sunblock
sundial	sunlight
sunscreen	sunshade
suntan	supermarket

6. 第六组：T~W

textbook	underground
upward	videotape
watchdog	waterskiing
waterfall	waterproof
whiteboard	wildlife
workload	workshop
worthwhile	

7. 新增内容

second-hand	breathtaking
cooperative=co-operative	childcare
self-funded	close-up
self-sufficient	keyword
seven-screen	

2.4 加连字符的词

1. 第一组：特别词汇

mini	mini-series	注意: mini这个前缀与后面的词结合在一起，有加连字符的，有直接写在一起的，需要特别背诵。
	mini-system	
	mini-report	
non	non-active	注意：non这个前缀与后面的词99%加连字符，在考试中，如果不确定，加连字符的正确率更高。
	non-drinker	
	non-fat	
	non-medicine	
	non-resident	
	non-smoker	
	non-standard	
	non-start	
	non-stop	
	non-verbal	
self	self-access	注意: self这个前缀与后面的词结合在一起，经常使用连字符，在不确定时，可以加连字符变成形容词。
	self-defence =self-defense	
	self-discipline	
	self-funded	
	self-locking	
	self-sufficient	
well	well-organized	注意: well这个前缀与后面的词结合在一起，经常使用连字符，在不确定时，可以加连字符变成形容词。

2. 第二组：A~Z

audio-visual	CD-ROM
closed-circuit	close-up
clover-leaf	co-operation=cooperation
first-year student	full-time student
hard-hoofed	highly-trained（形容词有连字符）
hard-working	high-risk
long-term	long-time
low-risk	man-made
little-known	note-taking
one-way ticket	part-time
phone-in	pre-booking

2.5 空格词

air conditioner	bed linen
bed sheet	book list=booklist
check card	common room
date line	drop off（v.）
dropoff（n.）	drop out（v.）
dropout（n.）	eye drop
head office	help desk
ice skating	roller skating
tape script=tapescript	water clock

Chapter 3

雅思听力
特别名词
语料库

必备、基础、名词细节定信息

资料更新
及补充

3.1 语料训练方法 (1)

名词

考生在做题之前，先要利用听指南的时间对答案的内容进行预判，然后有针对性地辨别录音中的信息。

熟悉词性，对于考生捕捉正确答案有很大帮助。

横向测试

这是Hallie独创的听力训练方法。在语料测试表里，横向语料往往在形态、语义、语音等很多方面有相似之处。考生可以方便记忆，同时可以辨别语料间的差异。横向测试中，语料的朗读主要以英音为主。

纵向测试

这也是Hallie独创的听力训练方法。在语料测试表里，纵向语料在形态、语义、语音等很多方面存在较大差异。考生可以在"无提示"状态下通过语音单独测试自己对语料的掌握水平。纵向测试中，语料的朗读以澳音和印度音为主。

3.2 特别名词

Test Paper 1　108个 3% 4%

语料测试表			
ability ✓ [ə'bɪlətɪ] 能力	abstract ['æbstrækt] 摘要	accountant [ə'kaʊntənt] 会计	accuracy ['ækjʊrəsɪ] 准确度
acid ['æsɪd] 酸	action ✓ ['ækʃn] 行动	activity [æk'tɪvətɪ] 活动 ✓	actor ✓ ['æktə(r)] 男演员
adult ['ædʌlt] 成人	adventure ✓ [əd'ventʃə(r)] 冒险	advertisements [əd'vɜːtɪsmənts] 广告，宣传	advertising ['ædvətaɪzɪŋ] 广告
advice ✓ [əd'vaɪs] 建议	age ✓ [eɪdʒ] 年纪	agency ['eɪdʒənsɪ] 代理机构，中介	agreement [ə'griːmənt] 同意
agriculture ['ægrɪkʌltʃə(r)] 农业 ✓	aid [eɪd] 帮助	aim [eɪm] 瞄准，对准；目的 ✓	air [eə(r)] 空气
allergy ['ælədʒɪ] 过敏	alley ['ælɪ] 小巷，道	allowance [ə'laʊəns] 津贴	alteration [ˌɔːltə'reɪʃn] 改变
altitude ['æltɪtjuːd] 海拔，高度	ambition ✓ [æm'bɪʃn] 野心，抱负	ambulance ['æmbjələns] 救护车 ✓	amount ✓ [ə'maʊnt] 数量
analysis [ə'næləsɪs] 分析	analyst ['ænəlɪst] 分析家	anger ['æŋgə(r)] 愤怒	animal ✓ ['ænɪml] 动物
ankle ['æŋkl] 踝 ✓	answer ['ɑːnsə(r)] n. / v. 回答 ✓	Antarctica [æn'tɑːktɪkə] 南极洲	ape [eɪp] 猿

23

appearance	architect	architectures	area ✓
[ə'pɪərəns]	['ɑːkɪtekt]	['ɑːkɪtektʃə(r)z]	['eərɪə]
外貌	建筑师	建筑学；建筑物	地区，部分
argument	aristocrat	army ✓	art
['ɑːgjʊmənt]	['ærɪstəkræt]	['ɑːmi]	[ɑːt]
论证	贵族	军队	艺术
article	aspirin	assignment	atlas
['ɑːtɪkl]	['æsprɪn]	[ə'saɪnmənt]	['ætləs]
文章，用品	阿司匹林	作业	地图册
audience	auditorium	author	authority
['ɔːdɪəns]	[ˌɔːdɪ'tɔːrɪəm]	['ɔːθə(r)]	[ɔː'θɒrəti]
观众	礼堂	作者	权威
average	award	bachelor	background
['ævərɪdʒ] ✓	[ə'wɔːd]	['bætʃələ(r)]	['bækgraʊnd] ✓
平均	奖励	学士	背景
bacteria	badge	badminton	backpack ✓
[bæk'tɪərɪə]	[bædʒ]	['bædmɪntən]	[bæk'pæk]
细菌	徽章	羽毛球 ✓	肩背大包自助旅行
baldness	band ✓	bandage	bands
['bɔːldnɪs]	[bænd]	['bændɪdʒ]	[bændz]
秃头	乐队	绷带	乐队（复数）
bank ✓	banquet	base ✓	basement
[bæŋk]	['bæŋkwɪt]	[beɪs]	['beɪsmənt]
银行	宴会	基础	地下室
bases	basis	bath	batteries
['beɪsiːz]	['beɪsɪs]	[bɑːθ]	['bætərɪz]
底部，基地	基础	洗澡	电池（复数）
battery	beach ✓	beard	beats
['bætərɪ] ✓	[biːtʃ]	[bɪəd]	[biːts]
电池	海滩	胡子	跳动的次数

beauty ['bjuːtɪ] 美女	bed [bed] 床	bedroom ['bedruːm] 卧室	bed sheet [bedʃiːt] 床单
bedsit ['bedsɪt] （卧室兼起居室的）小套房	behaviors [bɪ'heɪvjə(r)z] 行为；态度	belt [belt] 带子	benefit ['benɪfɪt] 优势
beverage ['bevərɪdʒ] 软饮料	bibliography [ˌbɪblɪ'ɒgrəfɪ] 参考书目	bicycle ['baɪsɪkl] 自行车	bill [bɪl] 账单
biologist [baɪ'ɒlədʒɪst] 生物学家	bird [bɜːd] 鸟类	birth [bɜːθ] 出生	blanket ['blæŋkɪt] 毯子
blast [blɑːst] 爆炸	block [blɒk] 街区	blouse [blaʊz] 女式衬衫	board [bɔːd] 木板；董事会
boarder ['bɔːdə(r)] 住校的学生	boat [bəʊt] 船	bone [bəʊn] 骨头	bowl [bəʊl] 碗
bowling ['bəʊlɪŋ] 保龄球	branch [brɑːntʃ] 分支，分部	breakfast ['brekfəst] 早餐	brick [brɪk] 砖
bridge [brɪdʒ] 桥	brochures ['brəʊʃə(r)z] 小册子	building ['bɪldɪŋ] 建筑物	bungalow ['bʌŋgələʊ] 平房
burger ['bɜːgə(r)] 汉堡	burglar ['bɜːglə(r)] 夜盗	bus [bʌs] 公共汽车	cab [kæb] 出租车

25

Test Paper 2 135个 28/. 36/.

语料测试表			
cabinet ['kæbɪnət] 橱柜	cable ✓ ['keɪbl] 电缆，有线电视	café ['kæfeɪ] ✓ 咖啡厅	cafeteria [ˌkæfə'tɪərɪə] ✓ 咖啡店，自助餐厅
cage [keɪdʒ] 笼子 ✓	Cambridge ['keɪmbrɪdʒ] 剑桥 ✗	camel ['kæml] 骆驼	camera ['kæmərə] 相机 ✓
camp [kæmp] 露营	campus ['kæmpəs] 校园 ✓	candidate ['kændɪdət] 候选人，考生	candle ['kændl] 蜡烛 ✓
canteen [kæn'tiːn] 食堂	capital ['kæpɪtl] 资金；首都 ✓	capsule ['kæpsjuːl] 胶囊	carbon ['kɑːbən] 碳
care [keə(r)] 关注，照顾 ✓	career [kə'rɪə(r)] 事业	carpet ['kɑːpɪt] 地毯	carving ['kɑːvɪŋ] 雕刻
cashier [kæ'ʃɪə(r)] 出纳员	castle ['kɑːsl] 城堡	category ['kætəgərɪ] 种类	cathedral [kə'θiːdrəl] 大教堂
cause [kɔːz] 起因	cave [keɪv] 洞穴	cents [sents] 分	century ['sentʃərɪ] 世纪
certificate [sə'tɪfɪkət] 证书 ✓	chair [tʃeə(r)] 椅子	chance [tʃɑːns] 机会	chancellor ['tʃɑːnsələ(r)] 大学校长（英式）
channel ['tʃænl] 海峡 ✓	chapter ['tʃæptə(r)] 章节 ✓	character ['kærəktə(r)] 品质，特性	charge [tʃɑːdʒ] 收费

charity	chart	chat	checklist
['tʃærətɪ]	[tʃɑːt]	[tʃæt]	['tʃeklɪst]
慈善	图表	聊天	核对清单
checks	cheese	chemist's	chest
[tʃeks]	[tʃiːz]	['kemɪsts]	[tʃest]
核对支票	奶酪	药店	胸部
chick	chicken	child	chin
[tʃɪk]	['tʃɪkɪn]	[tʃaɪld]	[tʃɪn]
小鸡	鸡；鸡肉	儿童	下巴
chocolate	choice	church	cinema
['tʃɒklət]	[tʃɔɪs]	[tʃɜːtʃ]	['sɪnəmə]
巧克力	选择	教堂	电影院
circle	city	clarity	cleaner
['sɜːkl]	['sɪtɪ]	['klærətɪ]	['kliːnə(r)]
圆	城市	清楚	清洁工
cleaning	client	cliffs	climate
['kliːnɪŋ]	['klaɪənt]	[klɪfs]	['klaɪmət]
清洁	客户	悬崖，峭壁	天气
clinic	clock	cloth	clothing
['klɪnɪk]	[klɒk]	[klɒθ]	['kləʊðɪŋ]
诊所	钟	布	服装
club	coach	coast	code
[klʌb]	[kəʊtʃ]	[kəʊst]	[kəʊd]
俱乐部	长途汽车	海边	密码，代码
coke	cola	colleague	college
[kəʊk]	['kəʊlə]	['kɒliːg]	['kɒlɪdʒ]
可乐	可乐	同事	学院
comedy	commercials	commuter	companion
['kɒmədɪ]	[kə'mɜːʃls]	[kə'mjuːtə(r)]	[kəm'pænɪən]
喜剧片	广告	通勤者	同伴

company	complaint	complex	computer
['kʌmpəni]	[kəm'pleɪnt]	['kɒmpleks]	[kəm'pjuːtə(r)]
公司；陪伴	抱怨	建筑群或街区	电脑
concert	conclusion	condition	conferences
['kɒnsət]	[kən'kluːʒn]	[kən'dɪʃn]	['kɒnfərənsɪz]
音乐会	结论	状况，条件	会议
confidence	confirmation	congestion	conqueror
['kɒnfɪdəns]	[ˌkɒnfə'meɪʃn]	[kən'dʒestʃən]	['kɒŋkərə(r)]
自信	证实，确认	拥挤	征服者
conquest	conversation	conservation	construction
['kɒŋkwest]	[ˌkɒnvə'seɪʃn]	[ˌkɒnsə'veɪʃn]	[kən'strʌkʃn]
征服	对话	保留，保护区	建设
consultant	consumption	contact	container
[kən'sʌltənt]	[kən'sʌmpʃn]	['kɒntækt]	[kən'teɪnə(r)]
咨询者，顾问	消费	接触	容器
contaminants	contamination	content	continent
[kən'tæmɪnənts]	[kənˌtæmɪ'neɪʃn]	['kɒntent]	['kɒntɪnənt]
污染物	污染（=pollution）	内容	洲
contract	contracts	controversy	convenience
['kɒntrækt]	['kɒntrækts]	['kɒntrəvɜːsɪ]	[kən'viːnɪəns]
合同，印花税	合同；契约	争议	方便，便利
cooperations	cop	copy	corporation
[kəʊˌɒpə'reɪʃnz]	[kɒp]	['kɒpɪ]	[ˌkɔːpə'reɪʃn]
合作，协力	（男）警察	复印	公司
corpse	correspondence	cost	costume
[kɔːps]	[ˌkɒrə'spɒndəns]	[kɒst]	['kɒstjuːm]
尸体	写信	成本，花费	服装
cot	cottage	cough	council
[kɒt]	['kɒtɪdʒ]	[kɒf]	['kaʊnsl]
轻便小床	农舍，小屋	咳嗽	委员会

country	course	crack	craft
['kʌntrɪ]	[kɔːs]	[kræk]	[krɑːft]
国家，乡村	课程	裂缝	手艺
cream	credit	creek	crime
[kriːm]	['kredɪt]	[kriːk]	[kraɪm]
奶油，药膏	信用，信誉	小溪	犯罪
crisis	crocodile	crop	cultivation
['kraɪsɪs]	['krɒkədaɪl]	[krɒp]	[ˌkʌltɪ'veɪʃn]
危机	鳄鱼	庄稼	培育
culture	cup	cupboard	curtain
['kʌltʃə(r)]	[kʌp]	['kʌbəd]	['kɜːtn]
文化	杯子	橱柜	窗帘
customer	cutlery	cycle	cycling
['kʌstəmə(r)]	['kʌtlərɪ]	['saɪkl]	['saɪklɪŋ]
顾客	餐具	循环；自行车	骑自行车
damage	danger	data	date
['dæmɪdʒ]	['deɪndʒə(r)]	['deɪtə]	[deɪt]
毁坏	危险	数据	日期
day	deadline	debate	
[deɪ]	['dedlaɪn]	[dɪ'beɪt]	
日	截止期限	辩论	

Test Paper 3 105个 39% 54%

语料测试表			
debt [det] 债务 ✓	decade ['dekeɪd] 十年 ✓	decision [dɪ'sɪʒn] 决定 ✓	decline [dɪ'klaɪn] 下降
decorations [ˌdekə'reɪʃnz] 装饰 ✓	delay [dɪ'leɪ] 耽搁	delegate ['delɪgət] 代表 ✓	delight [dɪ'laɪt] 高兴
delivery [dɪ'lɪvərɪ] 发送，送货 ✓	demonstration [ˌdemən'streɪʃn] 示威，演示 ✓	dentist ['dentɪst] 牙医 ✓	department [dɪ'pɑːtmənt] 系，商店
deposit [dɪ'pɒzɪt] 押金 ✓	depth [depθ] 深度 ✓	description [dɪ'skrɪpʃn] 描述 ✓	desert ['dezət] 沙漠
design [dɪ'zaɪn] 设计 ✓	designer [dɪ'zaɪnə(r)] 设计师 ✓	desire [dɪ'zaɪə(r)] 欲望	desks [desks] 书桌 ✓
destination [ˌdestɪ'neɪʃn] 目的地 ✓	detail ['diːteɪl] 细节 ✓	diary ['daɪərɪ] 日记 ✓	dictation [dɪk'teɪʃn] 听写
diet ['daɪət] 饮食 ✓	dining ['daɪnɪŋ] 吃饭	dinner ['dɪnə(r)] 晚餐；正餐	dioxide [daɪ'ɒksaɪd] 二氧化物
direction [də'rekʃn] 方向 ✓	director [də'rektə(r)] 主管，主任，董事，导演 ✓	disagreement [ˌdɪsə'griːmənt] 不同意	disaster [dɪ'zɑːstə(r)] 灾难片
discipline ['dɪsəplɪn] 纪律，学科 ✓	disco ['dɪskəʊ] 迪斯科 ✓	discomfort [dɪs'kʌmfət] 不适的地方	discos ['dɪskəʊz] 迪斯科

discount ['dɪskaʊnt] 打折 ✓	discovery [dɪ'skʌvərɪ] 发现 ✓	disease [dɪ'ziːz] 疾病	dish [dɪʃ] 菜 ✓
disposal [dɪ'spəʊzl] 处理	dispute [dɪ'spjuːt] 争端 ✓	distance ['dɪstəns] 距离 ✓	divorce [dɪ'vɔːs] 离婚
document ['dɒkjʊmənt] 文件	documentary [ˌdɒkjʊ'mentrɪ] 纪录片，文献片	donation [dəʊ'neɪʃn] 捐款 ✓	donkey ['dɒŋkɪ] 驴
draft [drɑːft] 草稿；汇票	drama ['drɑːmə] 戏剧 ✓	draw [drɔː] 绘图 ✓	drawer [drɔː(r)] 抽屉 ✓
drink [drɪŋk] 饮料 ✓	drinking ['drɪŋkɪŋ] 饮水，喝 ✓	driver ['draɪvə(r)] 司机 ✓	driving ['draɪvɪŋ] 开车
drug [drʌg] 药品	drum [drʌm] 鼓	due [djuː] 应付的	duration [djʊə'reɪʃn] 持续
dust [dʌst] 灰尘	duty ['djuːtɪ] 责任 ✓	eagle ['iːgl] 鹰	ear [ɪə(r)] 耳朵 ✓
east [iːst] 东部；东 ✓	eating ['iːtɪŋ] 吃饭 ✓	economy [ɪ'kɒnəmɪ] 经济 ✓	editor ['edɪtə(r)] 编辑 ✓
education [ˌedʒʊ'keɪʃn] 教育 ✓	elbow ['elbəʊ] 肘 ✓	elder ['eldə(r)] 长辈	electricity [ɪˌlek'trɪsətɪ] 电 ✓
elements ['elɪmənts] 因素	elevator ['elɪveɪtə(r)] 电梯，起重机 ✓	emotion [ɪ'məʊʃn] 感情 ✓	emperor ['empərə(r)] 皇帝

employee	employer	encyclopedia	ending
[ɪm'plɔɪiː]	[ɪm'plɔɪə(r)]	[ɪnˌsaɪklə'piːdɪə]	['endɪŋ]
员工	雇主	百科全书	结果 ✓
energies	engine	engineer	entrance
['enədʒɪz]	['endʒɪn]	[ˌendʒɪ'nɪə(r)]	['entrəns]
能量	发动机 ✓	工程师 ✓	入口 ✓
epidemic	equipment	ethic	evening
[ˌepɪ'demɪk]	[ɪ'kwɪpmənt]	['eθɪk]	['iːvnɪŋ]
流行病	设备 ✓	道德	夜晚，晚会 ✓
event	evidence	examination	example
[ɪ'vent]	['evɪdəns]	[ɪgˌzæmɪ'neɪʃn]	[ɪg'zɑːmpl]
事件	证据 ✓	考试 ✓	例子
exception	exchange	excitement	excursion
[ɪk'sepʃn]	[ɪks'tʃemdʒ]	[ɪk'saɪtmənt]	[ɪk'skɜːʃn]
例外 ✓	交换	兴奋	远足
excuse	exercises	exhibition	existence
[ɪk'skjuːs]	['eksəsaɪzɪz]	[ˌeksɪ'bɪʃn]	[ɪg'zɪstəns]
借口 ✓	运动，练习	展览	存在
existing	expansion	expense	experiment
[ɪg'zɪstɪŋ]	[ɪk'spænʃn]	[ɪk'spens]	[ɪk'sperɪmənt]
存在	扩充	花费 ✓	实验 ✓
expert	explanation	explosion	exposition
['ekspɜːt]	[ˌeksplə'neɪʃn]	[ɪk'spləʊʒn]	[ˌekspə'zɪʃn]
专家 ✓	解释	爆炸	博览会（expo）
exposure	extension	facility	factor
[ɪk'spəʊʒə(r)]	[ɪk'stenʃn]	[fə'sɪləti]	['fæktə(r)]
曝光	分机，延期	设施 ✓	因素 ✓
factory			
['fæktrɪ]			
工厂 ✓			

Test Paper 4 108个 46% 57%

语料测试表			
faculty ['fækltɪ] 系	failure ['feɪljə(r)] 失败	falcon ['fɔːlkən] 隼（猎鹰的一种）	fan [fæn] 迷，粉丝，扇子 ✓
fare [feə(r)] 车船费用	farm [fɑːm] 农场 ✓	farmer ['fɑːmə(r)] 农民 ✓	farming ['fɑːmɪŋ] 农业 ✓
fashion ['fæʃn] 时尚 ✓	fat [fæt] 脂肪 ✓	feast [fiːst] 盛宴 ✓	feather ['feðə(r)] 羽毛
feature ['fiːtʃə(r)] 特点	feedback ['fiːdbæk] 反馈；返回 ✓	fellowship ['feləʊʃɪp] 奖学金；伙伴关系 ✓	female ['fiːmeɪl] 女性 ✓
ferries ['ferɪz] 摆渡；渡轮	festival ['festɪvl] 节日	field [fiːld] 领域	figure ['fɪgə(r)] 数字 ✓
film [fɪlm] 胶卷，电影 ✓	finding ['faɪndɪŋ] 发现 ✓	finger ['fɪŋgə(r)] 手指 ✓	firms [fɜːmz] 商号；公司
fish [fɪʃ] 鱼 ✓	fishing ['fɪʃɪŋ] 钓鱼 ✓	flag [flæg] 旗 ✓	flash [flæʃ] 闪 ✓
flat [flæt] （英式）公寓 ✓	flight [flaɪt] 航班 ✓	flood [flʌd] 洪水	flooding ['flʌdɪŋ] 洪水
flour ['flaʊə(r)] 面粉	flourish ['flʌrɪʃ] 繁荣	flow [fləʊ] 流量 ✓	flu [fluː] 流感

fly [flaɪ] 飞行	forest ['fɒrɪst] 森林	forestry ['fɒrɪstrɪ] 林学，森林学	form [fɔːm] 表格
formula ['fɔːmjələ] 公式	fortnight ['fɔːtnaɪt] 两周，十四天	fortune ['fɔːtʃuːn] 财产；运气	foyer ['fɔɪeɪ] 门厅
freedom ['friːdəm] 自由	freezer ['friːzə(r)] 冷冻室	freshman ['freʃmən] 大一学生	fruit [fruːt] 水果
fur [fɜː(r)] 皮毛	furniture ['fɜːnɪtʃə(r)] 家具	future ['fjuːtʃə(r)] 未来	gallery ['gælərɪ] 艺术馆
gap [gæp] 缝隙	garage ['gærɑːʒ] 车库	garbage ['gɑːbɪdʒ] 废物	garden ['gɑːdn] 花园
gasoline ['gæsəliːn] 石油（美）	gender ['dʒendə(r)] 性别	germ [dʒɜːm] 细菌	gesture ['dʒestʃə(r)] 手势
glass [glɑːs] 玻璃，眼镜	goal [gəʊl] 目标	gold [gəʊld] 金子	golf [gɒlf] 高尔夫
grade [greɪd] 年级，成绩	grades [greɪdz] 年级，成绩	graduate ['grædʒʊət] 毕业生	graduates ['grædʒʊəts] 毕业生
grain [greɪn] 谷物	grass [grɑːs] 草	green [griːn] 绿色	ground [graʊnd] 场地，地面
group [gruːp] 群体，团队，小组	growth [grəʊθ] 成长	guest [gest] 客人	guide [gaɪd] 导游，指导

gulf [gʌlf] 海湾，鸿沟	guy [gaɪ] 家伙	gym [dʒɪm] 体育馆 ✓	habit ['hæbɪt] 习惯
hand [hænd] 手，指针 ✓	handball ['hændbɔːl] 手球 ✓	handbooks ['hændbʊks] 手册 ✓	handling ['hændlɪŋ] 处理 ✓
handout ['hændaʊt] 讲义 ✓	hat [hæt] 帽子 ✓	headache ['hedeɪk] 头痛	heading ['hedɪŋ] 标题 ✓
health [helθ] 健康 ✓	hearing ['hɪərɪŋ] 听觉	heart [hɑːt] 心脏	heating ['hiːtɪŋ] 供热，供暖
hen [hen] 母鸡	herb [hɜːb] 草药	hero ['hɪərəʊ] 英雄 ✓	heroes ['hɪərəʊz] 英雄 ✓
heroine ['herəʊɪn] 女主人公	hike [haɪk] 远足 ✓	hiking ['haɪkɪŋ] 徒步旅行；远足 ✓	hint [hɪnt] 暗示 ✓
hints [hɪnts] 暗示	historian [hɪ'stɔːrɪən] 历史学家	hit [hɪt] 引人注意的东西，技巧 ✓	hits [hɪts] 引人注意的东西，技巧 ✓
hobby ['hɒbɪ] 爱好 ✓	holiday ['hɒlədeɪ] 假期 ✓	horse [hɔːs] 马 ✓	hospital ['hɒspɪtl] 医院 ✓
housework ['haʊswɜːk] 家务 ✓	housing ['haʊzɪŋ] 住房 ✓	households ['haʊshəʊldz] 一家人；家庭	hour ['aʊə(r)] 小时 ✓

Test Paper 5 141个 41， 54，

<table>
<tr><td colspan="4" align="center">语料测试表</td></tr>
<tr>
<td>hotel
[həʊ'tel]
酒店</td>
<td>hotline
['hɒtlaɪn]
热线</td>
<td>hunt
[hʌnt]
打猎</td>
<td>hunting
['hʌntɪŋ]
打猎</td>
</tr>
<tr>
<td>idea
[aɪ'dɪə]
主意</td>
<td>identification
[aɪ,dentɪfɪ'keɪʃn]
识别，身份</td>
<td>identity
[aɪ'dentəti]
身份</td>
<td>image
['ɪmɪdʒ]
形象</td>
</tr>
<tr>
<td>impact
['ɪmpækt]
影响</td>
<td>imports
['ɪmpɔːts]
进口</td>
<td>inability
[,ɪnə'bɪləti]
没能力</td>
<td>incoming
['ɪnkʌmɪŋ]
打入的（电话）</td>
</tr>
<tr>
<td>index
['ɪndeks]
索引</td>
<td>industry
['ɪndəstri]
工业，产业</td>
<td>infection
[ɪn'fekʃn]
发炎</td>
<td>influence
['ɪnfluəns]
影响</td>
</tr>
<tr>
<td>information
[,ɪnfə'meɪʃn]
信息</td>
<td>injection
[ɪn'dʒekʃn]
注射</td>
<td>injury
['ɪndʒəri]
受伤</td>
<td>inland
['ɪnlənd]
内陆</td>
</tr>
<tr>
<td>insect
['ɪnsekt]
昆虫</td>
<td>insomnia
[ɪn'sɒmnɪə]
失眠</td>
<td>institute
['ɪnstɪtjuːt]
机构</td>
<td>institution
[,ɪnstɪ'tjuːʃn]
机构</td>
</tr>
<tr>
<td>instruction
[ɪn'strʌkʃn]
指示</td>
<td>instructor
[ɪn'strʌktə(r)]
教练</td>
<td>instrument
['ɪnstrʊmənt]
仪器，乐器</td>
<td>interest
['ɪntrəst]
兴趣</td>
</tr>
<tr>
<td>Internet
['ɪntənet]
互联网</td>
<td>interviewer
['ɪntəvjuːə(r)]
面试官，考官</td>
<td>introduction
[,ɪntrə'dʌkʃn]
简介</td>
<td>investigator
[ɪn'vestɪgeɪtə(r)]
调查人</td>
</tr>
<tr>
<td>investment
[ɪn'vestmənt]
投资</td>
<td>irrigation
[,ɪrɪ'geɪʃn]
灌溉</td>
<td>island
['aɪlənd]
岛屿</td>
<td>isolation
[,aɪsə'leɪʃn]
隔离</td>
</tr>
</table>

item	jacket	jam	jaw
['aɪtəm]	['dʒækɪt]	[dʒæm]	[dʒɔː]
项目，货品，东西	夹克	堵塞	颚，颌，下巴
jeans	journal	judge	juice
[dʒiːnz]	['dʒɜːnl]	[dʒʌdʒ]	[dʒuːs]
牛仔服	学术期刊	评委	（果）汁
junction	junior	keeper	kelp
['dʒʌŋkʃn]	['dʒuːnɪə(r)]	['kiːpə(r)]	[kelp]
交汇处，交叉路口	大三学生	养育者	海藻
keyword	kid	king	kiosk
['kiːwɜːd]	[kɪd]	[kɪŋ]	['kiːɒsk]
关键词	儿童	国王	小卖部
kit	kitchen	kits	knife
[kɪt]	['kɪtʃɪn]	[kɪts]	[naɪf]
工具箱	厨房	工具箱	刀
knowledge	koala	lab	lake
['nɒlɪdʒ]	[kəʊ'ɑːlə]	[læb]	[leɪk]
知识	考拉	实验室	湖
lamp	land	landmark	landscape
[læmp]	[lænd]	['lændmɑːk]	['lændskeɪp]
灯	土地	标志性的建筑；路标	风景
language	laptop	laser	lava
['læŋgwɪdʒ]	['læptɒp]	['leɪzə(r)]	['lɑːvə]
语言	笔记本电脑	激光	火山岩
lawyer	layer	lecture	lecturer
['lɔːjə(r)]	['leɪə(r)]	['lektʃə(r)]	['lektʃərə(r)]
律师	层	授课	授课教师

leisure	lemon	lender	length
['leʒə(r)]	['lemən]	['lendə(r)]	[leŋθ]
休闲	柠檬	借财物给别人的人	长度
lesson	letter	level	library
['lesn]	['letə(r)]	['levl]	['laɪbrərɪ]
课程	字母；信件	水平，程度	图书馆
lift	light	line	lion
[lɪft]	[laɪt]	[laɪn]	['laɪən]
电梯	灯	队	狮子
lists	loan	location	lock
[lɪsts]	[ləʊn]	[ləʊ'keɪʃn]	[lɒk]
列表，清单	贷款	地理位置	锁
loss	lounge	loyalty	luck
[lɒs]	[laʊndʒ]	['lɔɪəltɪ]	[lʌk]
损失	休息大厅	忠诚	运气
lunch	lung	machine	magazine
[lʌntʃ]	[lʌŋ]	[mə'ʃiːn]	[ˌmægə'ziːn]
午餐	肺	机器	杂志
maid	mail	majority	making
[meɪd]	[meɪl]	[mə'dʒɒrətɪ]	['meɪkɪŋ]
女仆	邮件	多数	制造
male	manager	mane	manufacture
[meɪl]	['mænɪdʒə(r)]	[meɪn]	[ˌmænjʊ'fæktʃə(r)]
男性，雄性	经理	（狮子等）鬃毛	生产
map	margin	mark	market
[mæp]	['mɑːdʒɪn]	[mɑːk]	['mɑːkɪt]
地图	页边的空白	分数	市场
marketing	marsh	master	mat
['mɑːkɪtɪŋ]	[mɑːʃ]	['mɑːstə(r)]	[mæt]
市场营销	沼泽	硕士	脚垫

matching	material	maturity	maximum
['mætʃɪŋ]	[mə'tɪərɪəl]	[mə'tʃʊərətɪ]	['mæksɪməm]
搭配 ✓	材料 ✓	成熟 ✓	最大
meal	measure	measurement	meat
[miːl]	['meʒə(r)]	['meʒəmənt]	[miːt]
膳食	测量 ✓	测量	肉类 ✓
media	medication	medicine	medium
['miːdɪə]	[ˌmedɪ'keɪʃn]	['medsn]	['miːdɪəm]
媒体 ✓	药物 ✓	药物 ✓	中度；媒体
method	microphone	migration	mile
['meθəd]	['maɪkrəfəʊn]	[maɪ'greɪʃn]	[maɪl]
方法 ✓	麦克风 ✓	迁徙，移民	英里 ✓
mileage	milk	mine	mineral
['maɪlɪdʒ]	[mɪlk]	[maɪn]	['mɪnərəl]
里程表	牛奶 ✓	矿 ✓	矿物
mill	minimum	minute	mixture
[mɪl]	['mɪnɪməm]	['mɪnɪt]	['mɪkstʃə(r)]
作坊 ✓	最小	分钟	合剂；混合物
model	money	monopoly	month
['mɒdl]	['mʌnɪ]	[mə'nɒpəlɪ]	[mʌnθ]
模型 ✓	钱 ✓	垄断	月 ✓
mood	morality	mosquito	motel
[muːd]	[mə'rælətɪ]	[mə'skiːtəʊ]	[məʊ'tel]
情绪 ✓	道德；士气	蚊子	汽车旅馆
mountain			
['maʊntən]			
山脉 ✓			

Test Paper 6 105个 4个% 53%

语料测试表			
moustache [mə'stɑːʃ] 上唇上的小胡子	mouth [maʊθ] 嘴巴 ✓	movie ['muːvɪ] 电影 ✓	muscle ['mʌsl] 肌肉
museum [mjʊ'ziːəm] 博物馆	music ['mjuːzɪk] 音乐 ✓	musical ['mjuːzɪkl] 音乐剧 ✓	musician [mjʊ'zɪʃn] 音乐家 ✓
nap [næp] 小睡 ✓	nature ['neɪtʃə(r)] 自然 ✓	naught=nought ['nɔːt] 零	neck [nek] 脖子，颈部
net [net] 网	newspaper ['njuːzpeɪpə(r)] 报纸 ✓	night [naɪt] 夜晚	noise [nɔɪz] 噪声 ✓
north [nɔːθ] 北 ✓	northeast [nɔːθ'iːst] 东北 ✓	northwest [nɔːθ'west] 西北	nose [nəʊz] 鼻子
note [nəʊt] 笔记 ✓	notice ['nəʊtɪs] 注意	nurse [nɜːs] 护士 ✓	nursery ['nɜːsərɪ] 幼儿园 ✓
nursing ['nɜːsɪŋ] 护理 ✓	nut [nʌt] 坚果	nutrition [njʊ'trɪʃn] 营养 ✓	objective [əb'dʒektɪv] 目的，目标 ✓
occasion [ə'keɪʒn] 场合；时机	occupant ['ɒkjəpənt] 占有人；居住者	ocean ['əʊʃn] 海洋 ✓	oculist ['ɒkjəlɪst] 眼科医生
ointment ['ɔɪntmənt] 药膏	option ['ɒpʃn] 选择 ✓	order ['ɔːdə(r)] 命令 ✓	ordinary ['ɔːdnrɪ] 普通的 ✓

organizer	original	outline	overdraft
['ɔːgənaɪzə(r)]	[ə'rɪdʒənl]	['aʊtlaɪn]	['əʊvədrɑːft]
组织者	最初的	提纲	透支
owner	ownership	Oxford	package
['əʊnə(r)]	['əʊnəʃɪp]	['ɒksfəd]	['pækɪdʒ]
所有者	所有权	牛津	包装
page	paint	painting	pair
[peɪdʒ]	[peɪnt]	['peɪntɪŋ]	[peə(r)]
页码	油漆	绘画	一副，一对
pal	palace	panic	paper
[pæl]	['pæləs]	['pænɪk]	['peɪpə(r)]
伙伴	宫殿	恐惧	报纸，论文
parcel	parent	park	parking
['pɑːsl]	['peərənt]	[pɑːk]	['pɑːkɪŋ]
包裹	父母	n. 公园 v. 停车	停车
participant	passages	passenger	pastime
[pɑː'tɪsɪpənt]	['pæsɪdʒɪz]	['pæsɪndʒə(r)]	['pɑːstaɪm]
参加者	通行；通过	旅客	娱乐
patient	payment	pedestrian	pension
['peɪʃnt]	['peɪmənt]	[pə'destrɪən]	['penʃn]
病人	报酬；付款	行人	养老金
pensioners	percent	performer	perfume
['penʃənə(r)z]	[pə'sent]	[pə'fɔːmə(r)]	['pɜːfjuːm]
领退休金的人	百分比	表演者	香水
period	periodical	perk	permit
['pɪərɪəd]	[,pɪərɪ'ɒdɪkl]	[pɜːk]	['pɜːmɪt]
阶段	期刊	额外收入，公司优惠	许可证
person	personality	pet	petrol
['pɜːsn]	[,pɜːsə'næləti]	[pet]	['petrə]
人	个性	宠物	汽油

petroleum	philosopher	photo	photograph
[pə'trəʊliəm]	[fə'lɒsəfə(r)]	['fəʊtəʊ]	['fəʊtəgrɑːf]
石油	哲学家	照片 ✓	照片 ✓
physician	physics	pianist	piano
[fɪ'zɪʃn]	['fɪzɪks]	['pɪənɪst]	[pɪ'ænəʊ]
内科医生	物理学	钢琴家	钢琴 ✓
picnic	picture	pie	pill
['pɪknɪk]	['pɪktʃə(r)]	[paɪ]	[pɪl]
野餐 ✓	图 ✓	饼 ✓	药丸
pink	place	placement	plan
[pɪŋk]	[pleɪs]	['pleɪsmənt]	[plæn]
粉色 ✓	地方，场所；位置 ✓	放置 ✓	计划 ✓
planners	plans	plant	planting
['plænə(r)z]	[plænz]	[plɑːnt]	['plɑːntɪŋ]
计划者	计划 ✓	n. 植物 v. 种植	种植 ✓
plastic	plate	player	playground
['plæstɪk]	[pleɪt]	['pleɪə(r)]	['pleɪgraʊnd]
塑料 ✓	盘子，图版	选手	操场 ✓
pleasure	pocket	point	police
['pleʒə(r)]	['pɒkɪt]	[pɔɪnt]	[pə'liːs]
乐趣 ✓	口袋	要点，分数 ✓	警察 ✓
poll	pollutant	pollute	pollution
[pəʊl]	[pə'luːtənt]	[pə'luːt]	[pə'luːʃn]
（民意）调查	污染物；污染源	污染；玷污	污染 ✓
port	position	post	postgraduate
[pɔːt]	[pə'zɪʃn] ✓	[pəʊst]	[,pəʊst'grædʒʊət]
港口	位置，职位	职位；邮寄 ✓	研究生
particulars			
[pə'tɪkjələ(r)z]			
详细情况；特色			

Test Paper 7　92爷　349．51．

语料测试表			
potteries	power	powerpoint	precaution
['pɒtərɪz]	['paʊə(r)]	['paʊə(r)pɔint]	[prɪ'kɔːʃn]
陶器	权力；能源 ✓	投影的文件 ✓	预防
precision	preference	preposition	prescription
[prɪ'sɪʒn]	['prefrəns]	[ˌprepə'zɪʃn]	[prɪ'skrɪpʃn]
精密度	偏爱	介词	药方
presentation	preservation	president	prevention
[ˌprezn'teɪʃn]	[ˌprezə'veɪʃn]	['prezɪdənt] ✓	[prɪ'venʃn]
演讲；陈述	保存	总统，校长（大学，美语），总裁	预防 ✓
printing	priority	privacy	prize
['prɪntɪŋ]	[praɪ'ɒrəti]	['prɪvəsi]	[praɪz]
打印 ✓	优先	隐私	奖金 ✓
problem	product	production	professors
['prɒbləm]	['prɒdʌkt]	[prə'dʌkʃn]	[prə'fesə(r)z]
问题 ✓	产品 ✓	生产 ✓✓	教授
profit	project	promotion	prone
['prɒfɪt]	['prɒdʒekt]	[prə'məʊʃn]	[prəʊn]
利润 ✓	工程，研究课题，项目 ✓	升职 ✓	容易，倾向于
property	prospectus	protein	psychiatrist
['prɒpəti]	[prə'spektəz]	['prəʊtiːn]	[saɪ'kaɪətrɪst]
财产	招生简章，内容简介	蛋白质	精神病学家
psychologist	psychotherapy	publication	pump
[saɪ'kɒlədʒɪst]	[ˌsaɪkəʊ'θerəpi]	[ˌpʌblɪ'keɪʃn]	[pʌmp]
心理学家	精神疗法，心理疗法	出版物	泵 ✓

purpose ['pɜːpəs] 目的	purse [pɜːs] 钱包	quality ['kwɒlətɪ] 质量	quantity ['kwɒntətɪ] 数量
quarter ['kwɔːtə(r)] 四分之一	question ['kwestʃən] 问题	radar ['reɪdɑː(r)] 雷达	radiator ['reɪdɪeɪtə(r)] 冷却器，电暖炉
radio ['reɪdɪəʊ] 收音机	railway ['reɪlweɪ] 铁路	rain [reɪn] 雨，下雨	rainfall ['reɪnfɔːl] 降水
range [reɪndʒ] 范围	rank [ræŋk] 等级	rat [ræt] 老鼠	rate [reɪt] 比例；比率
rats [ræts] 老鼠	ray [reɪ] 光线	reader ['riːdə(r)] 读者	reading ['riːdɪŋ] 阅读
reason ['riːzn] 理由	reception [rɪ'sepʃn] 招待会，接待处	recipe ['resəpɪ] 处方	recorder [rɪ'kɔːdə(r)] 录音机
recording [rɪ'kɔːdɪŋ] 录音	recreation [ˌrekrɪ'eɪʃn] 消遣；娱乐	recruit [rɪ'kruːt] 招聘	recycling [ˌriː'saɪklɪŋ] 回收
referee [ˌrefə'riː] 裁判员	reference ['refrəns] 参考书目，证明人	reflectance [rɪ'flektəns] 反射系数	reform [rɪ'fɔːm] 改革
refuge ['refjuːdʒ] 避难所	region ['riːdʒən] 地区	regulation [ˌregjʊ'leɪʃn] 规章制度	relation [rɪ'leɪʃn] 关系
relationship [rɪ'leɪʃnʃɪp] 关系	relaxation [ˌriːlæk'seɪʃn] 放松	relief [rɪ'liːf] 减轻（痛苦）	religion [rɪ'lɪdʒən] 宗教

remark [rɪ'mɑːk] 评价	removal [rɪ'muːvl] 去掉	renewal [rɪ'njuːəl] 更新，续借	rent [rent] 房租
rental ['rentl] 租	repetition [ˌrepə'tɪʃn] 重复	replacement [rɪ'pleɪsmənt] 替代	report [rɪ'pɔːt] 报告
reproduce [ˌriːprə'djuːs] 再生产	research [rɪ'sɜːtʃ] 研究，科研	reservation [ˌrezə'veɪʃn] 保留，预订	reserve [rɪ'zɜːv] n. 保留；预借 v. 预订
residence ['rezɪdəns] 居住	resident ['rezɪdənt] 居民	resource [rɪ'sɔːs] 资源	respondent [rɪ'spɒndənt] 受采访者，调查 对象
response [rɪ'spɒns] 回答	restaurant ['restrɒnt] 餐厅	result [rɪ'zʌlt] 结果	retirement [rɪ'taɪəmənt] 退休
return [rɪ'tɜːn] n. 往返 vt. 回	review [rɪ'vjuː] n. 评论 vt. 复习	revision [rɪ'vɪʒn] 修改	rice [raɪs] 大米
rider ['raɪdə(r)] 骑手	riders ['raɪdə(r)z] 骑手（复数）	risk [rɪsk] 冒险	river ['rɪvə(r)] 河
robot ['rəʊbɒt] 机器人	rock [rɒk] 岩石	rocket ['rɒkɪt] 火箭	role [rəʊl] 角色

Test Paper 8 1447 33分 均

语料测试表			
roommates [ruːmˈmeɪts] 室友 ✓	route [ruːt] 路线	rule [ruːl] 规则	safari [səˈfɑːrɪ] 野生动物园
safety [ˈseɪftɪ] 安全 ✓	sail [seɪl] 帆；乘船旅行 ✓	sailing [ˈseɪlɪŋ] 航行 ✓	salad [ˈsæləd] 沙拉 ✓
salads [ˈsælədz] 沙拉 ✓	salary [ˈsælərɪ] 薪水 ✓	sale [seɪl] 销售	salt [sɔːlt] 盐
sample [ˈsɑːmpl] 样本 ✓	sandal [ˈsændl] 凉鞋	satellite [ˈsætəlaɪt] 卫星	sauce [sɔːs] 酱油
saving [ˈseɪvɪŋ] 存钱 ✓	scale [skeɪl] 天平 ✓	scandal [ˈskændl] 丑闻	scandals [ˈskændlz] 丑闻（复数）
scar [skɑː(r)] 伤疤 ✓	scent [sent] 气味	schedule [ˈʃedjuːl] 时间表	scheme [skiːm] 方案
scholar [ˈskɒlə(r)] 学者	scholarship [ˈskɒləʃɪp] 奖学金	science [ˈsaɪəns] 科学，理科	scientist [ˈsaɪəntɪst] 科学家
score [skɔː(r)] 分数	script [skrɪpt] 手稿	sculpture [ˈskʌlptʃə(r)] 雕刻	sea [siː] 大海，海洋
season [ˈsiːzn] n. 季节 ✓	seat [siːt] 座位 ✓	second [ˈsekənd] 秒	secretary [ˈsekrətrɪ] 秘书

section	sector	selection	selections
['sekʃn]	['sektə(r)]	[sɪ'lekʃn]	[sɪ'lekʃnz]
部分	部分	选择	选择（复数）
seminar	sense	sentence	servant
['semɪnɑː(r)]	[sens]	['sentəns]	['sɜːvənt]
学术研讨会	感觉	句子	佣人，仆人
service	sewage	sewer	sex
['sɜːvɪs]	['suːɪdʒ]	['suːə(r)]	[seks]
服务	污水	下水道	性别
shade	sheep	sheet	shelf
[ʃeɪd]	[ʃiːp]	[ʃiːt]	[ʃelf]
阴影	羊	床单	架子
shell	shelter	ship	shoe
[ʃel]	['ʃeltə(r)]	[ʃɪp]	[ʃuː]
贝壳	遮蔽处	船	鞋
shoplifters	shopper	shortage	shower
['ʃɒplɪftə(r)z]	['ʃɒpə(r)]	['ʃɔːtɪdʒ]	['ʃaʊə(r)]
商店扒手	购物者	不足，缺点	淋浴
side	sight	sign	signature
[saɪd]	[saɪt]	[saɪn]	['sɪgnətʃə(r)]
面，边	视界，视野	标记	签名
silence	simulation	single	site
['saɪləns]	[ˌsɪmjʊ'leɪʃn]	['sɪŋgl]	[saɪt]
安静	模拟	单程，单的	位置，地点
size	skating	skeleton	skill
[saɪz]	['skeɪtɪŋ]	['skelɪtn]	[skɪl]
大小	滑冰	骨架	技能
skin	skirt	slang	slave
[skɪn]	[skɜːt]	[slæŋ]	[sleɪv]
皮肤	短裙	俚语	奴隶

sleep [sliːp] 睡觉	sleeping ['sliːpɪŋ] 睡眠	slip [slɪp] 一张纸	smell [smel] 气味，臭味
smoke [sməʊk] *n.* 烟 *v.* 吸烟	smoking ['sməʊkɪŋ] 吸烟	snack [snæk] 快餐，零食	soil [sɔɪl] 土壤
solution [səˈluːʃn] 解决，解决方案	sound [saʊnd] 声音	source [sɔːs] 来源	south [saʊθ] 南
southeast [saʊθˈiːst] 东南	southwest [saʊθˈwest] 西南	space [speɪs] 空间	speaker ['spiːkə(r)] 演讲者，扬声器
speaking ['spiːkɪŋ] 口语	speed [spiːd] 速度	spending ['spendɪŋ] 花费	spider ['spaɪdə(r)] 蜘蛛
sponsor ['spɒnsə(r)] 赞助者	spoons [spuːnz] 匙；汤匙	sportsman ['spɔːtsmən] 男运动员	spot [spɒt] 地点
stability [stəˈbɪlətɪ] 稳定	stack [stæk] 书库	stage [steɪdʒ] 舞台，阶段	stair [steə(r)] 楼梯
standard ['stændəd] 标准	star [stɑː(r)] 恒星	starter ['stɑːtə(r)] 开胃品	starting ['stɑːtɪŋ] 开始
state [steɪt] 州	statement ['steɪtmənt] 陈述	station ['steɪʃn] 车站	status ['steɪtəs] 地位
steak [steɪk] 牛排	steam [stiːm] 蒸汽	step [step] 步骤，台阶	sting [stɪŋ] 刺

stock [stɒk] 存货，股票	stomach ['stʌmək] 胃，腹部	stomachache ['stʌməkeɪk] 胃痛	stone [stəʊn] 石头
store [stɔː(r)] 商场	story ['stɔːrɪ] 故事	strategy ['strætədʒɪ] 策略	strength [streŋθ] 力量
strike [straɪk] 罢工	style [staɪl] 风格	subject ['sʌbdʒɪkt] 主题，学科	submit [səb'mɪt] 上交，提供
subsidy ['sʌbsədɪ] 津贴	suburb ['sʌbɜːb] 郊区	sugar ['ʃʊɡə(r)] 糖	suit [sjʊt] 西装
sunshield [sʌn'ʃiːld] 遮阳板	supervisor ['suːpəvaɪzə(r)] 导师	supports [sə'pɔːts] 支撑；支柱	surface ['sɜːfɪs] 表面
surgeon ['sɜːdʒən] 外科医生	surname ['sɜːneɪm] 姓	surprise [sə'praɪz] 惊奇	survey ['sɜːveɪ] 测量，调查
survival [sə'vaɪvl] 生存	sweater ['swetə(r)] 毛衣	switch [swɪtʃ] 开关	switches [swɪtʃɪz] 开关（复数）
symptom ['sɪmptəm] 症状	syndicate ['sɪndɪkət] 财团	syrup ['sɪrəp] 糖浆	system ['sɪstəm] 系统，体系
table ['teɪbl] 桌子，图表	tablet ['tæblət] 药片	tape [teɪp] 磁带	tax [tæks] 税收

31. 5分

142分

Test Paper 9

语料测试表			
taxi ['tæksɪ] 出租车 ✓	tea [tiː] 茶 ✓	teacher ['tiːtʃə(r)] 教师 ✓	teaching ['tiːtʃɪŋ] 教学 ✓
team [tiːm] 队伍，小组 ✓	jargon ['dʒɑːgən] 行话；黑话	term [tɜːm] 学期，术语	technology [tek'nɒlədʒɪ] 科技 ✓
teeth [tiːθ] 牙齿 ✓	telephone ['telɪfəʊn] 电话 ✓	telescope ['telɪskəʊp] 望远镜 ✓	television ['telɪvɪʒn] 电视 ✓
temper ['tempə(r)] 脾气 ✓	temple ['templ] 寺庙 ✓	text [tekst] 文章	texture ['tekstʃə(r)] 质地
galaxy ['gæləksɪ] 银河	theft [θeft] 盗窃	theory ['θɪərɪ] 理论	therapist ['θerəpɪst] 理疗专家
therapy ['θerəpɪ] 理疗，疗法 ✓	thesis ['θiːsɪs] 主题，学位论文	thief [θiːf] 小偷	thieves [θiːvz] 小偷
thinking ['θɪŋkɪŋ] 思考 ✓	third [θɜːd] 第三 ✓	thought [θɔːt] 想法	threat [θret] 威胁 ✓
thriller ['θrɪlə(r)] 惊悚片	ticket ['tɪkɪt] 票 ✓	tide [taɪd] 潮水 ✓	tides [taɪdz] 潮水 ✓
tile [taɪl] 瓦	timber ['tɪmbə(r)] 木材	time [taɪm] 时间 ✓	title ['taɪtl] 标题，题目 ✓

toaster	toilet	tomato	tone
['təʊstə(r)]	['tɔɪlət]	[tə'mɑːtəʊ]	[təʊn]
烤面包机	卫生间	西红柿	某种语言的音调
tool	top	topic	total
[tuːl]	[tɒp]	['tɒpɪk]	['təʊtl]
工具	顶尖	话题	总数
touching	tour	touring	tourism
['tʌtʃɪŋ]	[tʊə(r)]	['tʊə(r)ɪŋ]	['tʊərɪzəm]
接触	旅游	旅游	旅游业
tourist	towel	tower	town
['tʊərɪst]	['taʊəl]	['taʊə(r)]	[taʊn]
游客	毛巾	塔	小镇
track	tractor	trade	tram
[træk]	['træktə(r)]	[treɪd]	[træm]
轨迹	拖拉机	贸易	有轨电车
tragedy	trailer	training	trend
['trædʒədɪ]	['treɪlə(r)]	['treɪnɪŋ]	[trend]
悲剧片	预告片	培训	趋势
travel	traveler	treatment	trip
['trævl]	['trævələ(r)]	['triːtmənt]	[trɪp]
旅游	游客（双写l也可）	治疗	旅行
tribe	tribute	tributes	Trinity
[traɪb]	['trɪbjuːt]	['trɪbjuːts]	['trɪnətɪ]
部落	贡品	贡品（复数）	三一学院
trolley	trouble	tube	tunnels
['trɒlɪ]	['trʌbl]	[tjuːb]	['tʌnls]
电车	麻烦	管子；地铁	隧道，地道
tuition	tune	tunes	tutor
[tjuˈɪʃn]	[tjuːn]	[tjuːnz]	['tjuːtə(r)]
学费	曲调	曲调（复数）	辅导教师，辅导员，导师

type [taɪp] 类型，种类	umpire ['ʌmpaɪə(r)] 裁判员	understanding [ˌʌndə'stændɪŋ] 理解	utensil [juː'tensl] 器具
uniform ['juːnɪfɔːm] 制服	union ['juːnɪən] 工会	university [ˌjuːnɪ'vɜːsətɪ] 大学	usage ['juːsɪdʒ] 使用
vacancy ['veɪkənsɪ] 空缺	vacation [və'keɪʃn] 假期	value ['væljuː] 价值	particulars [pə'tɪkjələ(r)z] 详细情况；特色
variety [və'raɪətɪ] 种类	vegetable ['vedʒɪtəbl] 蔬菜	velvet ['velvɪt] 天鹅绒	vet [vet] 兽医
video ['vɪdɪəʊ] 录像	view ['vjuː] 风景，视线，观点	village ['vɪlɪdʒ] 山村，村庄	vinegar ['vɪnɪgə(r)] 醋
visa ['viːzə] 签证	visitor ['vɪzɪtə(r)] 访问者	vitamin ['vɪtəmɪn] 维生素	vocation [vəʊ'keɪʃn] 行业，职业
volunteer [ˌvɒlən'tɪə(r)] 志愿者	volunteers [ˌvɒlən'tɪə(r)z] 志愿者	waist [weɪst] 腰围	waiter ['weɪtə(r)] 服务生，男服务生
walk [wɔːk] 步行	walking ['wɔːkɪŋ] 步行	wall [wɔː] 墙	world [wɜːld] 世界
warming ['wɔːmɪŋ] 变暖	washing ['wɒʃɪŋ] 洗	wasp [wɒsp] 黄蜂	waste [weɪst] 浪费
wasteland ['weɪstlænd] 荒地	water ['wɔːtə(r)] 水	wave [weɪv] 波浪	wax [wæks] 蜡

wealth [welθ] 财富	weapon ['wepən] 武器	weather ['weðə(r)] 天气	weeds [wiːdz] 杂草，野草
week [wiːk] 星期	weekday ['wiːkdeɪ] 平日（非星期六、星期日）	weekend [ˌwiːk'end] 周末	weight [weɪt] 重量
welfare ['welfeə(r)] 福利	west [west] 西部，西	wetland ['wetlənd] 沼泽地，湿地	whale [weɪl] 鲸鱼
wheel [wiːl] 方向盘，车轮	width [wɪdθ] 宽度	willows ['wɪləʊz] 柳，柳木	wind [wɪnd] 风
wing [wɪŋ] 翅膀，翼；配楼，厢房	word [wɜːd] 单词	workforce ['wɜːkfɔːs] 劳动力	working ['wɜːkɪŋ] 工作
wound [wuːnd] 伤，创伤	writing ['raɪtɪŋ] 写作	year [jɪə(r)] 年	yoga ['jəʊgə] 瑜伽
youth [juːθ] 年轻人，青年	zero ['zɪərəʊ] 零		

Chapter 4

雅思听力
形容词
副词
语料库

准确、细致、形容词、副词定程度

资料更新
及补充

4.1 语料训练方法（2）

形容词、副词

考生在做题之前，先要利用听指南的时间对答案的内容进行预判，然后有针对性地辨别录音中的信息。

熟悉词性，对于考生捕捉正确答案有很大帮助。

横向测试

这是Hallie独创的听力训练方法。在语料测试表里，横向语料往往在形态、语义、语音等很多方面有相似之处。考生可以方便记忆，同时可以辨别语料间的差异。横向测试中，语料的朗读主要以英音为主。

纵向测试

这也是Hallie独创的听力训练方法。在语料测试表里，纵向语料在形态、语义、语音等很多方面存在较大差异。考生可以在"无提示"状态下通过语音单独测试自己对语料的掌握水平。纵向测试中，语料的朗读以澳音和印度音为主。

4.2 Adjective 形容词

Test Paper 1　104行　419页

语料测试表			
abnormal [æb'nɔːml] 不正常的 ✓	academic [ˌækə'demɪk] 学术的 ✓	accessible [ək'sesəbl] 可接近的	accountable [ə'kaʊntəbl] 负有责任的 ✓
accurate ['ækjərət] 正确无误的	additional [ə'dɪʃənl] 额外的 ✓	adequate ['ædɪkwət] 充足的；令人满意的	advanced [əd'vɑːnst] 高级的，先进的 ✓
advisable [əd'vaɪzəbl] 明智的	allergic [ə'lɜːdʒɪk] 过敏的	alternative [ɔːl'tɜːnətɪv] 可选择的	amazing [ə'meɪzɪŋ] 令人惊讶的 ✓
ambiguous [æm'bɪgjʊəs] 有歧义的	ambitious [æm'bɪʃəs] 极富野心的 ✓	analytical [ˌænə'lɪtɪkl] 分析的	ancient ['eɪnʃənt] 古代的
angry ['æŋgrɪ] ✓ 气愤的，生气的	applied [ə'plaɪd] 应用的 ✓	archaeological [ˌɑːkɪə'lɒdʒɪkl] 考古学的	artificial [ˌɑːtɪ'fɪʃl] 人工的
artistic [ɑː'tɪstɪk] 艺术的	─ascending [ə'sendɪŋ] 上升的	atmospheric [ˌætməs'ferɪk] 大气的	attentive [ə'tentɪv] 注意的
audio ['ɔːdɪəʊ] 声音的	available [ə'veɪləbl] 可获得的，有时间的	aware [ə'weə(r)] 意识到的 ✓	awful ['ɔːfl] 可怕的
auto ['ɔːtəʊ] 自动的	bald [bɔːld] 光秃的	barren ['bærən] 贫瘠的 ✓	basic ['beɪsɪk] 基础的 ✓

beautiful	biological	blind	blond
['bjuːtɪfl]	[ˌbaɪə'lɒdʒɪkl]	[blaɪnd]	[blɒnd]
美丽的	生物的	盲的	金发的
British	broad	buried	calculating
['brɪtɪʃ]	[brɔːd]	['berɪd]	['kælkjʊleɪtɪŋ]
英国的	广泛的	埋藏的	计算的
casual	central	challenging	cheaper
['kæʒuəl]	['sentrəl]	['tʃælɪndʒɪŋ]	[tʃiːpə(r)]
随便的	中央的	挑战的	便宜些的
cheerful	children's	classical	clean
['tʃɪəfl]	['tʃɪldrənz]	['klæsɪkl]	[kliːn]
高兴的	儿童的	古典的	干净的
cleanest	clear	clever	coastal
['kliːnɪst]	[klɪə(r)]	['klevə(r)]	['kəʊstl]
最干净的	清楚的	聪明的	海边的
comfortable	common	commonsense	complete
['kʌmftəbl]	['kɒmən]	['kɒmənsens]	[kəm'pliːt]
舒适的	普通的	有常识的	完全的
completed	confident	conservative	convenient
[kəm'pliːtɪd]	['kɒnfɪdənt]	[kən's3ːvətɪv]	[kən'viːnɪənt]
完成的	自信的	保守的	方便的
co-operative	corrupt	costly	cream
[kəʊ'ɒpərətɪv]	[kə'rʌpt]	['kɒstlɪ]	[kriːm]
合作的	腐败的	昂贵的，费钱的	奶油色的
(=cooperative)			
critical	crucial	cultural	curly
['krɪtɪkl]	['kruːʃl]	['kʌltʃərəl]	['k3ːlɪ]
批评的	至关重要的，决定性的	文化的	卷发的

current	daily	dairy	dangerous
['kʌrənt]	['deɪlɪ]	['deərɪ]	['deɪndʒərəs]
目前的	每日的	牛奶的	危险的
dark	departmental	dependent	detailed
[dɑːk]	[ˌdiːpɑːt'mentəl]	[dɪ'pendənt]	['diːteɪld]
黑暗的，深色的	部门的	依赖的	细节的
different	direct	disabled	distant
['dɪfrənt]	[də'rekt]	[dɪs'eɪbld]	['dɪstənt]
不同的	直接的	肢体有残疾的	远的
distinct	domestic	dominant	eastern
['dɪstɪŋkt]	[də'mestɪk]	['dɒmɪnənt]	['iːstən]
明显的	国内的，家里的，内部的	最主要的	东方的，东部的
economic	educational	effective	efficient
[ˌiːkə'nɒmɪk]	[ˌedʒʊ'keɪʃənl]	[ɪ'fektɪv]	[ɪ'fɪʃnt]
经济的	教育的	有效的	有效率的
elementary	empty	enormous	enthusiastic
[ˌelɪ'mentrɪ]	['emptɪ]	[ɪ'nɔːməs]	[ɪnˌθjuːzɪ'æstɪk]
初级的	空的	广泛的，大的	热情的
environmental	essential	excited	exciting
[ɪnˌvaɪrən'mentl]	[ɪ'senʃl]	[ɪk'saɪtɪd]	[ɪk'saɪtɪŋ]
环境的	基本的	兴奋的	令人兴奋的
existent	expensive	experienced	experimental
[ɪg'zɪstənt]	[ɪk'spensɪv]	[ɪk'spɪərɪənst]	[ɪkˌsperɪ'mentl]
存在的	昂贵的	有经验的	实验的
extensive	extra	fair	fake
[ɪk'stensɪv]	['ekstrə]	[feə(r)]	[feɪk]
广泛的	额外的	美丽的；公平的	假的，伪造的

Test Paper 2 104T 36%

语料测试表			
famed [feɪmd] 著名的	familiar [fə'mɪlɪə(r)] 熟悉的 ✓	famous ['feɪməs] 著名的 ✓	fancy ['fænsɪ] 奇怪的 ✓
fashionable ['fæʃnəbl] 流行的，时髦的	favourite ['feɪvərɪt] 最喜爱的	final ['faɪnl] 最后的 ✓	financial [faɪ'nænʃl] 金融的
fine [faɪn] 好的 ✓	firm [fɜːm] 坚实的 ✓	flexible ['fleksəbl] 灵活的	foreign ['fɒrən] 国外的
formal ['fɔːml] 正式的	former ['fɔːmə(r)] 以前的	free [friː] 自由的 ✓	frequent ['friːkwənt] 经常的，频繁的 ✓
fundamental [ˌfʌndə'mentl] 基本的，基础的	further ['fɜːðə(r)] 进一步的 ✓	general ['dʒenrəl] 普通的，笼统的	genetic [dʒə'netɪk] 遗传的
geographical [ˌdʒɪə'græfɪkl] 地理学的	global ['gləʊbl] 全球的，整体的	handy ['hændɪ] 方便的	harmful ['hɑːmfl] 有害的
hazardous ['hæzədəs] 冒险的，危险的	healthy ['helθɪ] 健康的 ✓	heavier ['hevɪə(r)] 更沉重的 ✓	heavy ['hevɪ] 重的 ✓
helpful ['helpfl] 有用的 ✓	herbivorous [hɜː'bɪvərəs] 食草的	higher ['haɪə(r)] 更高的 ✓	highly-trained ['haɪlɪtreɪnd] 高度训练的
historical [hɪ'stɒrɪkl] 历史的 ✓	least [liːst] 最少的，最小的	ill [ɪl] 生病的	illegal [ɪ'liːgl] 非法的

immune [ɪ'mjuːn] 免疫的	important [ɪm'pɔːtnt] 重要的	impossible [ɪm'pɒsəbl] 不可能的	inaccurate [ɪn'ækjərət] 不准确的
inadequate [ɪn'ædɪkwət] 不足的	individual [ˌɪndɪ'vɪdʒuəl] 个人的	industrial [ɪn'dʌstrɪəl] 工业的	informative [ɪn'fɔːmətɪv] 通知的， 有信息的
initial [ɪ'nɪʃl] 最初的	inspiring [ɪn'spaɪərɪŋ] 鼓舞人心的	intact [ɪn'tækt] 完好无损的	intelligent [ɪn'telɪdʒənt] 智力的
intensive [ɪn'tensɪv] 强化的	interesting ['ɪntrəstɪŋ] 有趣的	intermediate [ˌɪntə'miːdɪət] 中级的	internal [ɪn'tɜːnl] 内部的
international [ˌɪntə'næʃnəl] 国际的	irregular [ɪ'regjələ(r)] 不规则的	irritable ['ɪrɪtəbl] 易怒的	isolated ['aɪsəleɪtɪd] 与世隔绝的
key [kiː] 重点的，关键的	latest ['leɪtɪst] 最新的	legal ['liːgl] 合法的	little-known ['lɪtlnəʊn] 不知名的，无名的
loyal ['lɔɪəl] 忠诚的	magic ['mædʒɪk] 魔术的	magical ['mædʒɪkl] 难以想象的，不 可思议的	magnificent [mæg'nɪfɪsnt] 华丽的
major ['meɪdʒə(r)] 主要的	martial ['mɑːʃl] 武术的	mature [mə'tʃʊə(r)] 成熟的	medical ['medɪkl] 医疗的
mental ['mentl] 精神的	mid [mɪd] 中间的	migratory ['maɪgrətrɪ] 迁移的	military ['mɪlətrɪ] 军人的，军队的

miserable	mobile	moderate	modern
['mɪzrəbl]	['məʊbaɪl]	['mɒdərət]	['mɒdn]
痛苦的	运动的	中度的	现代的
musical	natural	negative	neighbouring
['mjuːzɪkl]	['nætʃrəl]	['negətɪv]	['neɪbərɪŋ]
音乐的	自然的	消极的	附近的，临近的
nervous	noble	noisy	non-active
['nɜːvəs]	['nəʊbl]	['nɔɪzi]	[nɒn'æktɪv]
紧张的	高尚的，贵族的	嘈杂的	不活跃的
normal	northern	objective	occupational
['nɔːml]	['nɔːðən]	[əb'dʒektɪv]	[ˌɒkjʊ'peɪʃənl]
正常的	北方的	客观的	职业的
Olympic	optic	optional	oral
[ə'lɪmpɪk]	['ɒptɪk]	['ɒpʃənl]	['ɔːrəl]
奥运会的	光学的	可选择的	口语的
organic	overall	overhead	overseas
[ɔː'gænɪk]	[ˌəʊvər'ɔːl]	[ˌəʊvə'hed]	[ˌəʊvə'siːz]
有机的	整个的	头上的	海外的
parental	payable	perfect	personal
[pə'rentl]	['peɪəbl]	['pɜːfɪkt]	['pɜːsənl]
父母的	可支付的	完美的	个人的
physical	pleasant	political	pop
['fɪzɪkl]	['pleznt]	[pə'lɪtɪkl]	[pɒp]
肉体的；身体的	愉快的	政治的	流行的

Test Paper 3　128个　46%

语料测试表			
popular ['pɒpjələ(r)] 时髦的 ✓	positive ['pɒzətɪv] 积极的 ✓	possible ['pɒsəbl] 可能的 ✓	potential [pə'tenʃl] 潜在的
practical ['præktɪkl] 实际的	precious ['preʃəs] 珍贵的	predictable [prɪ'dɪktəbl] 可预言的	present ['preznt] 目前的
previous ['priːvɪəs] 以前的，原来的	printed ['prɪntɪd] 打印出来的	private ['praɪvət] 私人的	professional [prə'feʃənl] 专业的
promising ['prɒmɪsɪŋ] 有前途的	psychiatric [ˌsaɪkɪ'ætrɪk] 精神病的	psychological [ˌsaɪkə'lɒdʒɪkl] 心理的	public ['pʌblɪk] 公共的
pure [pjʊə(r)] 纯洁的	purest ['pjʊərɪst] 最纯净的 （最高级）	Queen's [ˌkwiːnz] 女王的	random ['rændəm] 随机的
rapid ['ræpɪd] 快速的	rare [reə(r)] 罕见的	raw [rɔː] 生的	recycled [ˌriː'saɪkld] 回收的
redundant [rɪ'dʌndənt] 多余的	regional ['riːdʒənl] 局域的	regular ['regjələ(r)] 定期的；规律的	reinforced [ˌriːɪn'fɔːst] 加强的
related [rɪ'leɪtɪd] 相关的	relevant ['reləvənt] 相关的	reliable [rɪ'laɪəbl] 可信赖的，可靠 的，可依赖的	remote [rɪ'məʊt] 远的 ✓

resistant	reverse	rising	royal
[rɪˈzɪstənt]	[rɪˈvɜːs]	[ˈraɪzɪŋ] ✓	[ˈrɔɪəl]
抵抗的	相反的	上升的	皇家的
rural	sacked	safe	satisfactory
[ˈrʊərəl]	[sækt]	[seɪf] ✓	[ˌsætɪsˈfæktərɪ]
乡下的	被解雇的	安全的	满意的 ✓
scarce	scientific	seasonal	seasoned '
[skeəs]	[ˌsaɪənˈtɪfɪk]	[ˈsiːzənl] ✓	[ˈsiːznd] ✓
不足的	科学的	季节的	风干的
secondary	second-hand	self-funded	self-sufficient
[ˈsekəndrɪ]	[ˈsekəndhænd]	[selfˈfʌndɪd]	[selfsəˈfɪʃnt]
第二的	二手的	自给自足的	自给自足的
senior	sensible	serial	serious
[ˈsiːnɪə(r)]	[ˈsensəbl]	[ˈsɪərɪəl]	[ˈsɪərɪəs]
高级的	明智的 ✓	连续的	严肃的 ✓
seven-screen	several	shared	sharp
[ˈsevnskriːn]	[ˈsevrəl]	[ʃeə(r)d]	[ʃɑːp] ✓
七个屏幕的	几个	共享的	锋利的；紧急的
short	sick	silent	silver
[ʃɔːt]	[sɪk]	[ˈsaɪlənt]	[ˈsɪlvə(r)]
短的 ✓	生病的 ✓	安静的	银的
similar	simple	sleepy	slim
[ˈsɪmələ(r)]	[ˈsɪmpl]	[ˈsliːpɪ]	[slɪm]
相似的 ✓	简单的 ✓	想睡的 ✓	苗条的 ✓
smart	smelly	social	solar
[smɑːt]	[ˈsmelɪ]	[ˈsəʊʃl]	[ˈsəʊlə(r)]
聪明的 ✓	有臭味的	社会的 ✓	太阳的
soundproof	southern	spacious	spare
[ˈsaʊndpruːf]	[ˈsʌðən]	[ˈspeɪʃəs]	[speə(r)]
隔音的	南方的	宽敞的，宽广的	多余的

special	specialized	species	specific
['speʃl]	['speʃəlaɪzd]	['spiːʃiːz]	[spə'sɪfɪk]
特别的	特别的，专门的	种类，物种	特别的
spiral	stable	steady	stout
['spaɪrəl]	['steɪbl]	['stedɪ]	[staʊt]
螺旋的	稳定的	稳定的	（形容人）结实的, 强壮的
strained	stressful	stretching	strong
[streɪnd]	['stresfl]	['stretʃɪŋ]	[strɒŋ]
紧张的	压力的	伸展的	强壮的
stronger	subjective	successful	sufficient
[strɒŋgə(r)]	[səb'dʒektɪv]	[sək'sesfl]	[sə'fɪʃnt]
更强的	主观的	成功的	充分的
suitable	super	surprised	systematic
['suːtəbl]	['suːpə(r)]	[sə'praɪzd]	[ˌsɪstə'mætɪk]
合适的	超级的	惊奇的	系统的
technical	theoretical	traditional	troublesome
['teknɪkl]	[ˌθɪə'retɪkl]	[trə'dɪʃənl]	['trʌblsəm]
科技的	理论的	传统的	带来麻烦的
typical	unanimous	uncomfortable	unconvincing
['tɪpɪkl]	[ju'nænɪməs]	[ʌn'kʌmftəbl]	[ˌʌnkən'vɪnsɪŋ]
典型的	意见一致的	不舒服的	没有说服力的
underground	unfair	unhealthy	unique
['ʌndəgraʊnd]	[ˌʌn'feə(r)]	[ʌn'helθɪ]	[jʊ'niːk]
地下的	不公平的	不健康的	独特的
united	unreliable	unsocial	unusual
[jʊ'naɪtɪd]	[ˌʌnrɪ'laɪəbl]	[ˌʌn'səʊʃl]	[ʌn'juːʒʊəl]
联合的	不可依赖的	不合群的	非同寻常的
useful	useless	usual	various
['juːsfl]	['juːsləs]	['juːʒʊəl]	['veərɪəs]
有用的	没用的	平常的，普通的	各种的

violent	virtual	visible	visual
['vaɪələnt]	['vɜːtʃʊəl]	['vɪzəbl]	['vɪʒʊəl]
猛烈的，暴力的	虚拟的	可见的 ✓	视觉的
warm	washable	wealthy	weekly
[wɔːm]	['wɒʃəbl]	['welθɪ]	['wiːklɪ]
温暖的	可洗的	有钱的	每周的
western ✓	whole	wide	wise ✓
['westən]	[həʊl]	[waɪd]	[waɪz]
西方的	整个的	广泛的	明智的
worthwhile	worthy		
[ˌwɜːθ'waɪl]	['wɜːðɪ]		
值得的	值得做某事		

4.3 Adverb 副词

Test Paper

语料测试表			
almost	currently	directly	effectively
['ɔːlməʊst]	['kʌrəntlɪ]	[də'rektlɪ]	[ɪ'fektɪvlɪ]
几乎，差不多	目前地	直接地	有效地
efficiently	originally	physically	professionally
[ɪ'fɪʃntlɪ]	[ə'rɪdʒənəlɪ]	['fɪzɪklɪ]	[prə'feʃənəlɪ]
有效率地	最初地	身体地	专业地
rapidly	regularly	scarcely	virtually
['ræpɪdlɪ]	['regjələlɪ]	['skeəslɪ]	['vɜːtʃʊəlɪ]
快速地	定期地	不足地	几乎

Chapter 5

吞音连读
混合训练
语料库

连读、吞音、提高衔接辨识度

资料更新
及补充

5.1 语料训练方法 (3)

连读

在连贯地说话或朗读时，在同一个意群（即短语或从句）中，如果相邻的两个词前者以辅音音素结尾，后者以元音音素开头，就要自然地将辅音和元音相拼，构成一个音节，这就是连读。

很多情况下，考生能够辨别出单个单词，但是在听到连读时会发生混淆。

吞音

在语速较快的情况下，有的单词的音会被融合或者省略。

在雅思听力考试中，对于学生而言，这也是难点。

混合语料

这是Hallie独创的听力训练方法。把多种语料混在一起综合训练，提高训练难度，可以进一步促进考生对语料的掌握。

此外，这种训练方式也符合实际考试情况。因为在实际的考试中，也是多种语料混合的。

这部分语料由不同口音的人朗读。

下划线部分为特别提示，需重点关注。

5.2 吞音连读混合训练

Test Paper 1 114

语料测试表		
a (great) variety of 很多种	a balanced diet 均衡饮食	a couple of 几个
a pair of glasses 一副眼镜	a period of time 一段时间	A plus A+
a series of 一系列的	a serious person 一个严肃的人	a sharp turn 急转弯
abilities 能力（复数）	academic English 学术英语	academic problems 学术问题；学习问题
academic system 学术体系	academic teaching staff 教学人员	accommodation expense 住宿费
accommodation fee 住宿费	accommodation form 住宿单	accountants 会计
action plan 行动计划	added panic 增加恐惧心理	admission card 借书卡
admission office 招生办公室	adult students 成年学生	advanced course 高级课程
advanced degree 高阶	Advanced English Studies 高级英语研究	agrarian reform 土地改革
ahead of time 预先	aim of lecture 授课目标	aims 目标
air pollution 空气污染	air pump 空气泵	air shuttle bus 机场巴士
air conditioner 空调	alarm system 警报系统	alternative energies 可替代能源

ATM 自动取款机	amusement park 游乐场	an educational film 有教育意义的影片
analyse data 分析数据	ancient temple 古庙	annual membership fee 年会费
answer questions 回答问题	ant intelligence 蚂蚁的智商	antibiotics and acid 抗生素和酸
appearances 外貌（复数）	apple juice 苹果汁	application form 申请表
applied mathematics 应用数学	applied science 应用科学	architecture style 建筑风格
Arctic Ocean 北冰洋	Atlantic Ocean 大西洋	avoid touching rocks 不要接触岩石
arm badge 胳膊上戴的臂章	arrive at one's destination 到达目的地	art gallery 画廊, 艺术馆
art museum 艺术博物馆	articles from journal 期刊文章	artistic approach 艺术的方法
Asian studies 亚洲研究	assessment methods 评估方法	assessment of patients 对病人的评估
assistant professor 助教；副教授	associate with 与……关联	assume the responsibility 承担责任
at least 至少	area for improvement 不足之处	awards 奖励
atmospheric pollution 大气污染	atmospheric warming 全球气候变暖	Australian dollars 澳元
average ability 平均能力	bricks 砖（复数）	bowls 碗（复数）

Bachelor's degree 学士学位	bad eyesight 视力不好	bad management 管理不善
Baked Earth 烤热的地球	bank statement 银行对账单	bank transfer 银行转账
banking center 银行中心	bar chart 柱状图	bar code 条形码
barbecue set 烧烤架	barren land 荒地	barren mine 废弃矿
basic course 基础课	basic rule 基本规则	be allergic to sth. 对……过敏
be out of temper 生气	bed sheet 床单	bed linen 床单
be prone to 易于	beginning course 入门课程	belts 带子，腰带
biological clock 生物钟	black raincoat 黑雨衣	black skirt 黑色短裙
black tea 红茶	black trousers 黑色裤子	black velvet 黑天鹅绒
blocks 街区	blood flow 血流	blood sample 血液样本
bloom of flowers 百花盛开	blue sweater 蓝色毛衣	boarding school 住宿学校（常指小学和中学）
boat trip 划船之旅	book in advance 预订	book reservation 预订书
bones 骨头（复数）	bowling alley 保龄球道	botanical garden 植物园

Test Paper 2 〔1〕

语料测试表		
bulletin board 布告栏	breathtaking 令人屏住呼吸的	breed fish 养鱼
British Council 英国使馆文化处	British Library 大英图书馆	British Museum 大英博物馆
broaden one's horizon 拓宽视野	broaden one's view 拓宽视野	brother-in-law 姐夫，妹夫
buses 公共汽车	bus pass 月票	bus routes 乘车路线
business card 名片	business class 商务舱	business culture 企业文化
business ethics 商业道德	business faculty 商务系	business studies 商业研究
business trip 出差	cages 笼子（复数）	cabin keys 小屋钥匙
cable car 缆车	circulation desk 借书台	call slip 借书证
campus crime 校园犯罪	candles 蜡烛	cannot meet the deadline 不能在最后期限内完成
car model 汽车模型	car rental 租车	car tires=car tyres 汽车轮胎
card index 卡片索引	card catalog=card catalogue 卡片目录	comment card 注解卡片
carbon dioxide 二氧化碳	carve 雕刻东西	carving wood 木头雕刻

case study 个案分析	case studies 个案分析（复数）	choices for facilities 设施选择
cassette recorders 卡带式录音机	CD player CD播放器	CD-ROM 光驱
casual clothes 休闲服	casual wear 休闲服	charges 收费
cater to 迎合	catering facilities 餐饮设施	catering staff 餐饮部员工
center hall 中央大厅	center manager 中心经理	central heating 中央取暖
Central Avenue 中央大街（地名）	Central Park 中央公园（地名）	Central Station 中央火车站（地名）
certificate of childcare 儿童护理证书	charitable organization 慈善机构	charity hospital 慈善医院
check in 办理登机、入住手续	check out 结账	checklist 核对清单
chest infection 胸部发炎	chemistry lab 化学实验室	Church Road 教堂路（地名）
chequebook 支票本	cheque card 支票卡	concentrate on 注意
circus performance 马戏团的表演	Children's Day 儿童节	cheese production 奶酪生产
city's expansion 城市扩张	city council 城市委员会	city overhead view 城市俯视图
commuters 通勤者	class representative 班级代表	conquerors 征服者

cleaning equipment 清洁设备	cleaning materials 清洁材料	clear argument 清晰论证
classmates 同学（复数）	coarse texture 质地粗糙	comfortable clothes 舒服的衣服
colleagues 同事（复数）	clock watch 报时表	clos<u>ed</u> shelves 闭架书库
close-book exam 闭卷考试	clos<u>ed</u> reserve 闭架书库	closed-circuit TV 闭路电视
coffee shop 咖啡店	coffee break 喝咖啡的休息时间	coffee machine 咖啡机
collection tank 储存罐	collections 收藏（复数）	college close-up 大学特写
common residence 普通住宅	common room （英）师生公用的休息室	common sense 常识
communication skills 交流技巧	communication strategies 交际策略	communication technology 通信技术
conference reports 会议报告	contact list 联系人清单	company actions 公司行动
compulsory course 必修课	computer model 电脑模型	computer programmer 电脑程序员
computer sound card 电脑声卡	computer system 计算机系统	connecting flight 转机
concert hall 音乐厅	concert room 音乐厅	classical music 古典音乐

Test Paper 3 114

语料测试表		
contact lenses 隐形眼镜	cooperating research elements 合作研究原理	coping with stress 缓解压力
corporate loan 筹资	cost effective 性价比较高	cost of living 生活开销
costume party 化装晚会	cough mixture 止咳药	country music 乡村音乐
course fee 学费	course and materials 课程和材料	course director 课程主管
cover the cost 足以支付成本	craft goods 手工艺制品	credit card 信用卡
creeks 小溪	crime awareness 犯罪意识	crime rate 犯罪率
cross passage 通道	cultural differences 文化差异	culture shock 文化冲击
curve chart 曲线图	currency form 货币申报单	current account 现金账户
cycling route 骑车路线	customs service 海关服务	cut and polished 经过切割和抛光的
damages 损害（复数）	dark clothes 深色衣服	dark trousers 深色裤子
dateline 日界线	data analysis 数据分析	data assessment 数据评估
date of birth 出生日期	date of expiry 期限	date slip 期限

day pupil	day school	day shift
只是白天来上学的学生	不住宿学校	白班
debts	decades	decayed teeth
债（复数）	十年	蛀牙
decoration balloons	deliver a speech	delivery desk
装饰气球	作演讲	借书台
department building	department store	departmental address
系里的建筑物	商场	系的地址
desire to learn	desk lamp	details
学习的欲望	台灯	细节（复数）
detective film	digital camera	digital system
侦探片	数码相机	数码系统
different levels	dining hall	dining room
不同水平	学校的餐厅	餐厅
diseases	distant deadline	distance learning
疾病	离最后期限还有段时间	远程教育
divorce rate	distinguishing feature	distribution of population
离婚率	显著特色	人口分布
downward trend	do training courses	Doctor's degree
下降趋势	上培训课	博士学位
domestic factors	domestic student	domestic violence
内部因素	当地学生	家庭暴力
door key	door-to-door service	drugs
门钥匙	上门服务	药品
double lock	double room	double grill
反锁	配有一张双人床的房间	双层烤架，双格栅

Drama Theater 戏剧影院（地名）	Drama Festival 戏剧节	drama teacher 话剧老师
draw a conclusion 得出结论	disabled access 残疾人通道	dropout rate 辍学率
dress code 着装要求	dress rehearsal 彩排	disputes 争论（复数）
drinking machine 饮水机	drinks and snacks 饮料和零食	drink less coffee 少喝咖啡
driver's license 驾照	driving license 驾照	directors 董事
drop-off site 丢垃圾的地点	drop-off 放下	El Nino 厄尔尼诺现象
Eagle Road 鹰路（地名）	eastern beach 东海滩	eat harmful insects 吃有害昆虫
economic growth 经济增长	economic history 经济学史	economy class 经济舱
education exhibition 教育展	education officer 教育官员	education standard 教育标准
education system 教育制度	electronic director 电子监控器	electric fan 电风扇
electricity bill 电费	electricity fee 电费	electronic dictionary 电子词典
email attachment 电子邮件附件	email account 电邮账号	email address 电子邮箱
emergency contact person 紧急联系人	emergency telephone number 紧急电话号码	dial *n.* 表盘 *v.* 拨

Test Paper 4

语料测试表		
emotion and mood 感情和情绪	end of term 学期末	endanger<u>ed</u> species 濒危物种
energy industry 能源业	engineers 工程师	engineering room 工程室
engrave 雕刻东西	enrollment fee 报名费	entrance fee 游览门票
environment agency 环境机构	environmental damage 环境破坏	environmental issues 环境问题
environmental science 环境科学	environmental studies 环境研究	environmentally-friendly 环保的
Evening News 《晚间新闻》（报纸名称）	evening appointment 晚间约会	exercise one<u>'s</u> muscles 锻炼肌肉
exhibition of instruments 乐器展	experimental for construction 建筑实验	experimental facilities 实验设施
expect<u>ed</u> duration 预计持续时间	express train 特快列车	express way 高速公路
extension number 分机号	extensive writing 大量的写作	exchange drafts 交换草稿
extra charge 小费	extra workload 额外工作量	ethical film 伦理片
eye doctor 眼科医生	eye contacts 目光交流	essay plan 提纲；论文计划
extinct species 灭绝物种	face-to-face interview 面对面采访	failure rate 不及格率

family medical history	familiar with	family abuse
家族病史	熟悉，通晓	家庭暴力
family ticket	family name	family relationship
家庭套票	姓	家庭关系
fancy dress	fancy ball	fancy dress party
化妆晚会时穿的晚会服装；奇装异服	化装舞会	化装舞会
falcons	farewell party	farming products
隼	告别会	农产品
fear of unemployment	feel one's pulse	female corpse study
担心失业	测脉搏	女尸的研究
field method	field system	field trip
土地作业方式	土地系统	实习
field work	film festival	film studio
实习	电影节	电影工作室
financial advice	financial affairs	financial budget
理财建议	财务问题	财政预算
financial department	financial executive	financial goals
金融系	财务主管	经济目标
financial market	financial organization	financial policy
金融市场	金融团体	金融政策
financial problems	financial shortage	financial source
财务问题；经济问题	缺钱	经济来源
fine arts	fine texture	fire alarm
美术	质地细腻	火警
fire blanket	fire drill	fire management
灭火毯	火警演习	火灾防范

first floor	first name	first-aid kit
二楼（英式）；一楼（美式）	名	急救箱
first-year student	fish cakes	fish tank
大一学生（英）	鱼饼	鱼缸
fishing boat	fishing industry	fitness centre
渔船	渔业	健身中心
fitness club	fitness level	fitness training
健身会所，健身俱乐部	身体状况	健身训练
fix<u>ed</u> expenses	flexible working time	flight number
固定花费	弹性工作时间	航班号
flowers' taste	flying craft	flying speed
花朵的味道（注意所有格的写法）	飞行器	飞行速度
food processing	food and oil	food chain
食品加工	食物和油	食物链
focus on	football club	football match
集中于	足球俱乐部	足球比赛
for sale	forestry industry	formal clothes
打折	林业	正式服装
four nights	fortnight	fourth-year student
四个晚上	十四天	大四学生（英）

Test Paper 5

语料测试表		
free for heating 免费供暖	free of charge 免费	free transportation 免费运送
fruit juice 果汁	fruit trees 果树	functions and places 位置及其功能
full-time 全日制	full name 全名	fur trade 皮毛交易
further education 继续教育	Garden Hall 花园大厅（地名）	garden tools 园艺工具
generation of electricity 发电	gas station 加油站	general election 大选，普选
general English 普通英语	general English practice 普通英语练习	general health 总体健康
general ideas 综合观点	general method 常规方法	general science 大众科学
geography trip 地理考察	geographic location 地理位置	geographical value 地理的价值
give sb. a sack 解雇（=kick sb. out of work）	given name 名	give a prescription 开药方
give up 放弃	give a speech 作演讲	give confirmation 发出确认信
get feedback 获得反馈	guide book 指导手册	guided tour 有导游带领的旅行
go to hospital 去医院看病	global listening 整体听力	global warming 全球变暖

gold medal	Gold Street	Golf Club
金牌	金色大街（地名）	高尔夫俱乐部
good eyesight	good shoes	good steering
视力好	运动鞋	方便操纵
goodbye party	government policy	government-funded
告别会	政府政策	政府资助的
grasp keywords	graduate school	graduation announcements
抓住关键词	研究生院 (美语用法)	毕业典礼请柬
grain pattern of timber	grain pattern	great favourites
木材的花纹；细腻的木纹图案	图案	最喜爱的
ground floor	green waste	greyhound bus
底层，一楼（英式）	可回收垃圾，可降解废物	灰狗巴士（城市公交的一种）
group discussion	gym membership	hens
小组讨论	健身房会员	母鸡
high wind	half human	half term
大风	半人	学期中
hard-hoofed animals	hall of residence	halls of residence
硬蹄动物	英国学生宿舍	英国学生宿舍（复数）
hand pump	hands broken	have access to
手提式灭火器	指针坏了	拥有……的权利，接近
harmful insects	harmful to humans	have strong hearts and lungs
有害昆虫	对人类有害	心肺功能良好

have an operation 动手术	have high rank in geography 地理级别高	have strong financial muscles 经济实力雄厚
help desk 咨询处	headmaster （英）高中以下学校校长	head office 总部
healthcare 健康护理	health check 体检	health club 健身会所
heart attack 心脏病	heartbeats 心跳	heart disease 心脏病
heat indicator 热度指示	horse hair 马毛	horse riding 骑马
herb tea 草药茶	herd of cattle 牲畜	host family 接待家庭
high rank 高级	highly-trained staff 高度受训的员工	higher education 高等教育
high-rise buildings 高层建筑	high-quality camera 高质量相机	honeymoon suite 蜜月套房
historical museum 历史博物馆	history of school 学校历史	historical maps 历史地图
horror film 恐怖片	hot dog 热狗	hot meal 热饭
hothouse effect 温室效应		

Test Paper 6 108

语料测试表		
hotel crime 酒店犯罪	hunt for 寻找	house insurance 房屋财产险
house key 门钥匙	housing agency 房屋中介	human beings 人类
human consumption 人类消费	human race 人类	human resources 人力资源
ice curling 冰壶运动	ice pack 冰袋	ice skating 滑冰
identities 身份	identity card 身份证	illegal profits 非法利润
in visible view 在视野范围内	immune system 免疫系统	in advance 预先
in chemistry lab 在化学实验室	in circles 在剧场中圆形的位置	in circulation 在流通的
Indian Ocean 印度洋	incoming calls 打入的电话；接电话	Independence Day （美国）独立纪念日
industrial material 工业材料	information board 布告栏	information video 介绍内容的录像
information desk 咨询台	information page 信息页	information sector 信息部门
inland region 内陆地区	initial migration 最初的迁徙，移民	injection of vaccine 疫苗注射
institutes 机构	institutions 机构	insects haunting 闹昆虫
instructors 教练	instruction of handbook 手册中的要求	instant coffee 速溶咖啡

、interpersonal skills 人际交往能力	insurance companies 保险公司	insurance company 保险公司
intensive course 强化课	intensive study 集中学习	interlibrary service 图书馆际服务
intermediate course 中级课程	internal clock 生物钟	international club 国际俱乐部
international evening 国际学生晚会	international student card 国际学生证	international student 国际学生
Internet access 互联网接口	Internet café 网吧	Internet system 互联网系统
investigators 调查者	irrigable land 水浇地	isolated spot 离市区远的地方
job interview 求职面试	jaws 下巴	joint membership 联合会员资格
keepers 看守的人	jump the queue 插队	jump the line 插队
killer whales 杀人鲸	Kungfu film 武侠片	kelp forest 成片海藻
key approach 主要方法	key to reception 接待处钥匙	keywords 关键词
kick sb. out of work 解雇	king-sized bed 1.8m×2.0m的床	King's suite 国王套房
knives 小刀	kitchen table 餐桌	kitchen utensils 厨房器皿
lamps 灯	listening tapescript 听力原文	lab equipment 实验器材
lack confidence 缺乏自信	lack of confidence 缺乏自信	landmark 地标

large slide 大型滑梯	large-scale housing 大规模住房	lecture hall 阶梯教室
laser printing 激光打印	last but not least 最后的但是也很重要的 （表示总结）	last name 姓
lawyers 律师	layout of resume 简历布局	learning strategies 学习策略
learning styles 学习方式	leisure wear 休闲服	leisure activities 休闲活动
level of maturity 成熟水平	lemon tree 柠檬树	letter of recommendation 推荐信
library card 借书卡	library resource 图书馆资源	life science 生命科学
life cycle 生命周期	life expectancy 预期寿命	life insurance 寿险
lights 灯	link to 关于	literary film 文艺片
list of headings 标题列表	list of objectives （写论文中）列出本文 目的	lecture theatre=theater 阶梯教室

Test Paper 7 132

语料测试表		
living cost 生活开销	living expenses 生活费	loans 贷款
local walking club 当地徒步俱乐部	local history 当地历史	local industry 当地工业
local pet shop 当地宠物店	local product 当地产品	local resident 当地居民
local school 当地学校	local shop 当地商店	local student 当地学生
local tribes 当地部落	lookout points 观看景点	lock all windows 锁上所有窗户
long-term loan 长期贷款	loss of soil 土壤流失	lose temper 生气
loudspeaker 扬声器	love story 爱情片	low nutrition 低营养
low-frequency noise 低频噪声	low income 低收入	magazines and journals 杂志和期刊
magical animals 神奇的动物	machines and robots 机器和机器人	martial art 武术
maid servant 女佣人	mails 邮件	mailing list 邮寄清单
major in nursing 护理专业	main course 主菜	main entrance 主入口，主入口处
main hall 主厅	main kitchen 主厨房	main library 主要图书馆

make an appointment 预约	make plans 制订计划	map of cave 山洞的地图
manage time better 合理管理时间	manmade dam 人造大坝	manual facilities 手工设施
market research 市场调查	market cycle 市场周期	market economy 市场经济
marketing management 销售管理	marketing research 销售调研	marketing techniques 销售技巧
marketing seminar 市场营销研讨会	marketing strategies 营销策略，市场战略	mass media 大众传媒
mind map 提纲	Master's degree 硕士学位	Master Card 万事达信用卡
meat and cheese 肉类和乳酪	mathematic formula 数学公式	mature students 成年学生
media studies 媒体研究	media centre 媒体中心	media room 媒体房间
medical science 医学	medical centre 医疗中心	medical history 病史
booklist=book list 书单	membership consultant 会籍顾问 （=MC）	membership of a club 俱乐部会员资格
mental ability 精神能力	mental education 思想教育	microwave oven 微波炉
mid-autumn festival 中秋节（必须加连字符）	midmorning snacks 加餐（上午10点左右，喝咖啡，吃零食）	mid-range 中间范围

mid-semester 学期中	migration patterns 迁徙方式；迁徙路线	mileage ticket （可乘坐一定英里数的）火车票
miles 英里	military museum 军事博物馆	mill the grain on the ground 在地上把谷物磨细
millions of 上百万的	mountains 山	mineral water 矿泉水
minimum qualification 最低资格	mining industry 矿业，采矿业	mobile phone 手机
Modern Languages 现代语言（建筑物的名称）	modern management hotel 现代化管理的酒店	modern sports facilities 现代体育设施
money diary 花销日记	money lender 钱商	money management 理财
money order 汇票	monopoly of education 教育垄断	mosquito net 蚊帐
mother-in-law 岳母或者婆婆	movie poster 电影海报	movement of muscle 肌肉运动
music equipment 音乐设备	music instrument 乐器	notice board 布告栏（英国人用）
name badge 写有名字的胸牌	native animals 本土动物	negative effect 消极影响
natural medicine 天然药品	natural museum 自然博物馆	natural fibre 自然纤维
new technologies 新科技	nights 夜	night shift 晚班

no allergy	no charge	no nuts
不过敏	免费	不吃坚果
non-medicine items	non-stop flight	not check identities
非药品类东西	直达航班	不检查身份
not for circulation	number of exposure	number of occupants
不外借	拍照的数量	居住者人数
nursing care	Nursing Diploma	occupational factors
护理，医疗护理	护理毕业证，护理文凭	职业因素
nursery	nursery school	obligatory course
托儿所	托儿所	必修课
self-sufficient	off campus	office assistant
自给自足	校外	办公室助手
overfill	oil explosion	olive oil
填满	石油爆炸	橄榄油
OHPEN		
用来在白板上写字的笔		

Test Paper 8

语料测试表		
on campus 在学校	on foot 步行	on sale （英）热卖；（美）打折
on small scale 小范围地	one-way ticket 单程票	one-way 单程
online shopping 电子购物，网上购物	open admission 免试入学制	open shelves 开架书库
open-book exam 开卷考试	optic examination 眼部检查	optional course 选修课
optional expenses 选择性花销	oral defence 回答问题部分；答辩	orange juice 橙汁
ordinary farmers 普通农民	organic farming 有机农业	organic fiber 有机纤维
organic food 有机食物	organic material 有机材料	Oriental studies 东方研究
original reason 最初理由	out circulation 已借走	out of temper 生气
out on loan 借出的（书、CD等）	outside activity 户外活动	overall aim of the health club 健康俱乐部的总目标
overall trend 总体趋势	overdue and pay a fine 过期并交罚款	overhead projector 投影仪（=OHP）
overhead view 俯视图	overseas student 国际学生，留学生	hitchhike 搭便车旅行
packages 包裹	package tour 全包游	packing list （旅行时的）打包单

Pacific Ocean 太平洋	paddling pool 嬉水池	pages 页
pal group relationship 伙伴关系	palaces 宫殿	palm tree 棕榈树
paper jam 卷纸现象	parent's meeting's aim 家长会的目的	parental teaching 父母的教育
part-time job 兼职工作	part-time 兼职的；业余时间的	party wears 晚宴装
passport photos 护照照片	pay for loss 补偿损失	payment method 付款方式
per day 每天	per month 每月	per person 每个人
per week 每周	per year 每年	permit required 查许可证
personal alarm 个人警报	personal statement 个人陈述（简称PS）	personal trainer 私人教练（缩写PT）
PHD 博士（Doctor of Philosophy 的缩写）	philosophers 哲学家	phone bill 电话费，电话账单
photocopies of notes 复印笔记	photocopies of articles 复印文章	photocopy of article 复印文章
photocopy office 复印室	physical activities 体育活动	physical education 体育课（=PE）
physical surroundings 周边环境	physical therapy 理疗	pie chart 饼图

pine tree	pink slip	placement test
松树	解雇通知书	分班考试
planet science	Planet Society	planning meeting
行星科学	行星协会（一个组织的名称）	筹划会
planting garden	plastic bags	plastic collection
种植园	塑料袋	回收塑料
plus	pocket money	point of view
加	零用钱	观点
polish cars	poor area	pop test
汽车抛光	不发达的地区	抽考
population explosion	population growth	population of crocodiles
人口爆炸	人口增长	鳄鱼的数量
positive effect	possible causes of stress	postal survey
积极影响	可能的压力来源	邮寄调查
power company	practical material	practical skills
供电公司	实用材料	实用技能
precautions	precious stone	presentation skills
措施	宝石	陈述技巧
President's suite	previous data	previous insurance company
总统套房	原来的数据	原来的保险公司
previous result	previous studies	price list
原来的结果	前人的研究	价目单
principal	printed card	printed catalogue
（美）高中以下学校校长	打印出的卡片	打印出的目录

private bathroom	private property	private school
私人卫生间	私人财产	私立学校
private trip	prize giving	professional learning
私人旅行	分配奖品	专业学习
project work	project background	project outline
项目	项目背景	项目大纲
profits	psychological patients	psychological course
利润（复数）	有心理疾病的人	心理课
public transport	public awareness	public examination
公交	公众意识	公共考试
public facilities	public health	public interest
公共设施	公共健康	公共利益
public school	public service	public skills
公立学校	大众服务	大众技能
quality of teaching	quality of education	quality of personnel
教学质量	教育质量	职员的素质
quarry tiles	property insurance	question handling
瓦片的一种	财产险	问题处理
Queen's suite	queen-sized bed	Queen's Park
皇后套房	1.5m×2.0m的床	女王公园
RA (research assistant)	railway rail	railway station
研究助理	铁轨	火车站
railway tracks	railway worker	random selection
铁轨	铁路工人	随机选取

Test Paper 9

语料测试表		
range of English level 英语水平的范围	rapid population growth 快速人口增长	raw materials 原材料
rare lions 罕见的狮子	rare species 稀有物种	rare fish 稀有鱼类
reach one's destination 到达目的地	readers 读者	reading habits 阅读习惯
reading hits 阅读技巧	reading list 书单，阅读清单	reading session 阅读课
recall library books 要求归还图书馆图书	recall system 图书查询系统	receive prizes 收到奖品
reception area 接待处	reception centre 接待处	reception desk 接待处
recreation therapy 娱乐疗法	recruiting method 招聘方法	recycling material 回收材料
Red Flag 一家保险公司的名称	red kangaroo 红袋鼠	red meat 红肉
reference books 参考书目	reference skills 参考技能	reference stacks 书库
refresher course 进修课	registered mail 挂号信	regular meetings 定期召开的会议
regulations 规则	reinforced by wood and steel 由木头和钢材加固	relate to 关于

remain steady	replacement of jobs	replacement policy
保持稳定	换工作	替代政策
required course	research approach	research assistant
必修课	研究方法	助理研究员
research findings	research methods	research opportunities
研究结果	科研方法；搜集数据的方式	科研机会
research results	research source	resident student
研究结果	研究来源	当地学生
residential college	resistance from parents	resource management
大学里的寄宿学院	来自家长的反对	资源管理
resource protection	resource sharing	resources room
资源保护	资源共享	资源中心
respect the local environment	result from	result in
保护当地环境	归因于	导致
review of literature	review promptly	rice cultivation
文献综述	立刻复习	水稻培养
Riverside Restaurant	Rose Lane	robots
河边餐厅（餐厅名称）	玫瑰小巷（路名）	机器人
rock salt	romance story	Rose Garden
岩盐	爱情片	玫瑰花园（地名）
row house	round trip ticket	round trip
联排房屋（美）	往返票	往返

route map 路线图	road map 道路图	royal commission 皇家委员会；英国皇家 专门调查委员会
rubber blanket 橡胶毯	rubber tree 橡胶树	rules and regulations 规章制度
run risks 冒风险	running facilities 跑步的设施	running tunnel 行车隧道
rural area 乡下地区	role of staff 员工的角色	rush hour 交通高峰期
safety check 安全检查	safety helmet 安全头盔	safety helmets 安全头盔
sales team 销售小组	safety office 保卫处	safety regulations 安全规则
Silent Island CD名称	sandglass clock 沙漏	satellite TV station 卫星电视台
School of Arts and Sciences 文理学院	school uniform 校服	science fiction 科幻片
science museum 科技博物馆	scientific approach 科学方法	scientific research 科学研究
scores 分数	sea otter 水獭	sea urchin 海胆
sea watch 海洋监测	seafood restaurant 海鲜店	seat belt 安全带
seating capacity 容纳观众人数	second floor 二楼（美）；三楼（英）	second-hand textbooks 二手教材

secondary school 中学	second-year student 大二学生（英）	sedentary lifestyle 久坐的生活方式
selection method 选择方法	self-access lab 自学实验室	self-defense 自卫
self-service restaurant 自助餐厅	senior advisor=adviser 资深督导师	senior manager 高级经理
senior staff 高级员工	sense of achievement 成就感	sense of success 成就感
sensible exercise 合适的运动	sentences 句子	service manager 服务经理
set money aside 存钱	shared bathroom 共用卫生间	shared social area 公共活动区
shear the sheep 剪羊毛	sheep and cattle 畜群；羊和牛	sheep shearing 剪羊毛
shift work 倒班	shop assistant 售货员	shop manager 商店经理
shopping centre 购物中心	shopping list 购物清单	shopping mall 购物中心
shortage of money 缺钱	sick note 病假条	side effects 副作用
safari zoo 野生动物园	safari park 野生动物园	similar experiments 相似实验
single item 单件物品	size of population 人口规模（也可以指动物数量的多少）	size of sample 样本的大小
silver cloth 银布		

Test Paper 10

语料测试表		
sky dome	sleeping pills	sleeping sickness
穹顶	安眠药片	嗜睡症
slide presentation	small scale	small scar on his chin
幻灯演讲	小规模	他下巴上的小伤疤
smoke alarms	social activities	social isolation
烟雾警报	社会活动	人之间的隔阂，没有交流
social issues	social matter effects	social matters
社会问题	社会问题影响	社会问题
social problems	social status	social workers
社会问题	社会地位	社工
soft drinks	soft toys	sound effect
软饮料	软软的玩具	音效
solar system	solar power	sore throat
太阳系	太阳能	嗓子痛
spare time	spare parts	spare socks
业余时间	零件	备用袜子
space shuttle	special audio equipment	special chemicals
太空飞船	特别听力设备	特别的化学物质
special mail	special offers	special party hats
速递	特别优惠	晚会戴的帽子
special rule	specialist engine design	specialized course
特别规则	专业发动机设计	专业课

specialized museum	specialized sports facilities	species in rare animal area
专业博物馆	专业体育设施	稀有动物的种类
species of crocodiles	spending plans	spiders
鳄鱼的种类	花销计划	蜘蛛
spiral notebook	sports articles	sports suit
活页本	体育用品，运动品	运动服
sports centre	sports hall	sports shoes
体育中心，运动中心	体育大厅，运动场馆	运动鞋
spinose plants	stack system	stacks
有刺的植物	书库体系	书库
standard of education	standard suite	stars
教育标准	标准间	星
starter project	starting point	states
初始项目	起始点	州；状态
steak set	steam engine ship	steel and wood
一套牛排刀叉	蒸汽船	钢材和木头
stiff neck	still water	stock market
脖子发僵	纯净水	股票市场
stomach and heart	stomach muscles training	stones
胃和心脏	腹肌练习	石头
storage space	storehouse and temples	stories
存储空间	仓库和寺庙	故事
story conference	stress levels	stress management
故事会	压力程度	对压力的管理

stressful 有压力的	stretching 伸展的	stretching movements 拉伸移动
strict control 严格控制	strong scent 很重的味道	strong wind 大风
student account 学生账户	student banking 学生银行业务	student debt 学生债务
student hostel 学生旅店	student information desk 学生信息处	student representative 学生代表
student service 学生服务	student support service 对学生的帮助; 学生服务	student union 学生会
studio apartment 筒子楼	study aids 教具	study circle 研究小组
study club 学习小组	study techniques 学习技巧	styles 风格
stuffed nose 鼻子不通	stuffed toys 毛绒玩具	stuff of purse 钱包的材料
subject access guide 主题索引	subject access 主题索引	submit the document 上交文件
sufficient details 足够多的细节	supportive atmosphere 支持氛围	support service 售后服务，辅助服务
sun's position 太阳的位置	suntan block 防晒	sun cream 防晒霜
summary report 摘要报告	survey conducted 已做的调查	survey of reading 阅读习惯调查
survival course 生存课程	swimming costume 游泳衣	swimming in waterfall 在瀑布里游泳

swimming pool 游泳池	swimming suit 游泳衣	TA 助教（teaching assistant）
tablets 药片（复数）	take notes 记笔记	take blood pressure 量血压
take one's temperature 量体温	take regular exercise 定期运动	take risks 冒风险
taxi stand 出租车站	technical vocabulary 术语	technical institution 技校
teaching club 教师俱乐部	teaching hours 学时	teaching method 教学法
teaching staff 教学人员	teaching syllabus 教学大纲	teachers and faculty 老师和院系情况
tape recorder 录音机	telephone survey 电话调查	television drama 电视戏剧
temple wall 寺庙的墙	temples 寺庙	tennis club 网球俱乐部
terraced house （英）联排房屋	terrestrial heat 地热	tertiary education 高等教育
text structure 文章结构	textbook allowance 教材补贴	the marketing department 市场部
the disabled 残疾人	the old 老人	the poor 穷人
the Milky Way 银河		

Test Paper 11

语料测试表		
theme garden 主题公园	theme of project 项目主题	theme park 主题公园
theoretical background 理论背景	theoretical framework 理论架构	tiger shark 虎鲨
theory chapters 理论章节	theory of application 应用理论	therapy method 治疗方法
tilled land 耕地	third floor 三楼	third-year student 大三学生（英）
thinking pattern 思维模式	way of thinking 思考方式	timetable 时间表
time measurement 对时间进行测量	time priority 时间先后顺序	time management 时间管理课
title of essay 论文标题	to some degree 从某种程度上说	to some extent 在某种程度上
toilet facilities 卫生间设施	too much work 工作负荷大	tomatoes 西红柿
tones 语调	top shelf 最高的架子	top ten 十大畅销品
touching rocks 接触岩石	tour guide 导游	tourism organization 旅游组织
tourist brochures 游客手册	Town Hall 市政厅	toy factory 玩具工厂
traffic flow 车流，车流量	traffic jam 交通堵塞	traffic lights 交通灯

traffic rules	traffic safety	transportation card
交通规则	交通安全	公交卡
travel agency	travel package	traveller's check
旅行社	旅行打包行程	旅行支票
treatment method	Trinity College	tropical diseases
治疗方法	三一学院	热带病
tuition fee	tutorial system	twin room
学费	小组讨论系统	两张单人床的房间
TV series	TV chat show	under pressure
电视连续剧	电视访谈	有压力
undergo processing	underground car park	underground railway
进行处理	地下停车场	地铁
unhealthy diet	Union Bank	units of measurement
不健康饮食	联合银行（某银行名称）	测量单位
University Drive	university facilities	university guide
大学路（街道名）	大学设施	大学指南
University of Wollongong	university resource	unsocial hours
卧龙岗大学	大学资源	非正常生活的作息时间（指别人不工作时工人还在工作，影响健康）
upward trend	urban area	vacuum cleaner
上升趋势	城市地区	吸尘器
vacuum the stairs	vary according to the type, shape	vary one's diet
用吸尘器来清洁楼梯	因为类别、形状而有差异	改变饮食
vegetable burger	video project	video recording
蔬菜堡	录像作业	录像

video signal 录像信号	videotape editor 录像编辑	visual aids 视觉辅助
VIP class 头等舱	virtual learning 电脑学习	VISA 维萨信用卡
violent crimes 暴力犯罪	volcanic dust 火山灰	warm bath 热水澡
volume chart 体积图	voting system 选举系统	waiting list 后补清单
walking boots 登山靴	walking club 徒步俱乐部	weight training 力量训练
washable shoes 可洗的鞋	washing machine 洗衣机	wedding photos 婚礼照片
waste handling 垃圾处理	waste disposal 废物处理，垃圾处理	X-ray X射线
weaving blanket 编织毯子	water fee 水费	water heater 热水器
water park 水公园	water resources 水资源	water skiing 滑水
weekly return 一周往返	welcome package 入学或旅游时收到的 欢迎辞	welcome party 欢迎会
welfare department 福利部门	Western Europe 西欧	wheelchair 轮椅
white meat 白肉	wholesale 批发	wide reading 广泛阅读

wide writing **大量写作**	widen one's horizon **拓宽视野**	widen one's view **拓宽视野**
wind power **风能**	wind tunnels **风洞**	window dressing **商店橱窗装饰**
wing design **机翼设计**	withdraw cash **取现金**	woman author **女作家**
wood should be cut and seasoned **树木要砍下来风干**	work objective **工作目标**	work place **工作地点**
work systematically **系统地工作**	World Expo **世界博览会**	wretched boat **废弃的船**
wild animals **野生动物**	youth hostel **青年旅店**	your own embassy **本国大使馆**
yellow fever **黄热病**		

Test Paper 12

语料测试表			
abbreviation 缩写	access 接近	accessible 易接近的	accident 事故
affair 事情	announcement 公告	assume 假设	accommodation 住宿
recommendation 推荐	annex 配楼（附属建筑）	according 相符的	breeding 繁殖
surrounding 周围	cooking 做饭	account 账户	accountancy 会计学
accounting 会计	addition 附加	additional 附加的	address 地址
dress 连衣裙	dressing 穿衣；沙拉	assessment 评估	admission 入场费；承认
commission 佣金；委任	depression 沮丧；萧条	affect 影响；装作	effect 结果；作用
effective 有效的	effectively 有效地	appeal *n.* 呼吁 *vi.* 恳求 *vt.* 对……上诉	annual 一年的
arrival 到达	applicant 申请人	application 申请，应用	applied 应用的
appliance 器具；装置	approach *n.* 方法，接近 *vt.* 接近，近乎 *vi.* 接近，靠近	appointment 预约；任命	approval 同意
approximate 近似的	assistance 援助	assistant 助手	associate 伙伴

association 协会	attachment 附件	attack 袭击	attempt *n. & v.* 努力
attitude 态度	attend 出席，参加	attendance 到场；出席	attention 注意
attentive 注意的	business 商业；交易	balloon 气球	cartoon 卡通片，动画片
spoon 匙，汤匙	billion 十亿	ballroom 舞会	bathroom 卫生间
playroom 娱乐室	roommate 室友	barren 不生育的，贫瘠的	barrier 障碍物
better 更好的	buffet 自助餐	beginner 初始者	beginning 开始，初级
planner 计划者	planning 制订计划	blood 血	bloom 花；开花
boot 靴子	book 书	booking 预订	booklet 小册子
cannibal 食肉者	connect 连接	cassette 录音带	cattle 牲畜
classical 古典的	classification 分类；类别	classmate 同班同学	comment 注释；评论
commercial 电视广告	communication 交流	community 社区	common 普通的
cotton 棉花	coffee 咖啡	cottage 小屋	cramming 死记硬背
running *n.* 奔跑；运转 *adj.* 奔跑的	wedding 婚礼	banned 禁止	current *n.* 流动；趋势 *adj.* 当前的

currency 货币；流通	cooperate 合作，协作	crossroads 交叉路；转折点	dessert 甜点心
dissertation 论文	different 不同的	difference 差别	dinner 正餐
dizzy 头晕目眩的	little 小的	pizza 比萨饼	discuss 讨论
discussion 讨论	speech 演讲，演说	suggestion 建议	door 门
dollar 美元	floor 地板	poor 贫穷的	efficient 效率高的
essential 必要的	exaggerate 夸张	essay 散文；随笔	embassy 大使馆
issue 问题	curriculum 课程，课程表	express 快车；快递	congress 会议；国会
pressed 紧的；困难的	pressure 压；压力	fee 费	feedback 反馈；返回
ferry 摆渡；渡轮	fossil 化石	food 食物	foot 脚
football 足球	footprint 脚印	goods 商品	gallon 加仑
grammar 语法	handbook 手册	textbook 教科书	notebook 笔记本
newsletters 时事通讯	hippo 河马	hoover 真空吸尘器	horror 恐怖；震惊
hall 大厅；门厅	immune 免疫的	irrigation 灌溉	irritation 激怒
useless 无用的	impossible 不可能的	incorrect 不正确的	innovation 革新；改革

interviewee 被采访人	lessen *vi.* 变小 *vt.* 使变小	degree 度	likelihood 可能
firewood 柴火	matter 问题；事件	mammal 哺乳动物	mass 众多；大众
massage 按摩	midday 正午	million 百万	narrator 解说员
lookout 守望；监视	occasion 场合；时机	occupant 占有人；居住者	occupation 工作，职业
occupational 职业的	offer *vt.* 给予；奉献 *vi.* 提议；出现	office 办公室	officer 军官；官员
passage 文章；一节，一段	passport 护照；通行证	password 口令	pattern 花样，图案
paddle 划桨	penny 便士	personnel 人事；职员	pottery 陶器
process 过程	processing 加工；处理	profession 职业	professor 教授
questionnaire 问卷	possibility 可能性	opportunities 机会，机遇	robber 抢劫者
otter 水獭	rubbish 垃圾	Russia 俄罗斯	school 学校
kangaroo 袋鼠	Scottish *n.* 苏格兰人；苏格兰语 *adj.* 苏格兰人的；苏格兰语的	screen 屏幕	seafood 海鲜
settlement 解决；结账	shuttle 梭子	shopping 购物	swimming 游泳

skiing 滑雪	setting 安装；设置	steel 钢	steering 掌舵；操纵
stress 紧张；压力	stressful 紧张的	stiff 硬的	staff 职员
stuff 材料，原料	cliff 悬崖，峭壁	success 成功	successful 成功的
session 开会；会议	concession 让步	summary 概括的	summer 夏天
summit 尖峰；顶峰	supplementary 增补的	supply 供给；供应	support 支撑；支柱
supportive 赞助的	tennis 网球	tunnel 隧道，地道	toothache 牙痛
traffic 交通	terraced 有露台的	terrestrial 疆土的	vaccine 疫苗
vacuum 真空	waitress 女服务员	willow 柳树	weed 野草
wood 木材	woods 森林	zoo 动物园	

Chapter 6

雅思听力
复数听写
语料库

语法、复数、掌握规则

资料更新
及补充

6.1 语料训练方法（4）

复数听写法

这是由Hallie独创的听力训练方法，主要是帮助考生克服对复数单词不熟悉的问题。这实际上也符合雅思考试中对语法的测试要求。

横向测试

这也是Hallie独创的听力训练方法。在语料测试表格里，横向语料往往在形态、语义、语音等很多方面有相似之处。考生可以方便记忆，同时可以辨别语料间的差异。横向测试中，语料的朗读主要以英音为主。

纵向测试

这也是Hallie独创的听力训练方法。在语料测试表格里，纵向语料在形态、语义、语音等很多方面存在较大差异。考生可以在"无提示"状态下通过语音单独测试自己对语料的掌握水平。纵向测试中，语料的朗读以澳音和印度音为主。

6.2 复数基本规则

① 一般情况下，在词尾加-s。

② 名词以[s]、[z]、[ʃ]、[tʃ]、[dʒ]等音结尾在其后加-es，如词尾有e，只加-s。

③ 以ce，se，ze，ge或者dge结尾的，直接加s。

④ 名词以-f或-fe结尾的，多数是把-f或-fe变成-ves。

⑤ 名词以y结尾的，如果是"元音+y"结尾的，直接加-s；"辅音+y"结尾的，变y为i，再加-es。

⑥ 名词以o结尾的，如果是"辅音+o"结尾的，加-es；极少数名词虽然以o结尾，变成复数则只加s，比如radios, pianos, zoos等。

⑦ 英语中有些名词的复数形式是不规则的，需要记忆。

⑧ 英语中有些名词总是以复数形式出现。

★特别注意

剑桥雅思考试中有很多特别的复数词汇，与多数中国学生的认知是不同的。例如，剑桥中soils，meats都可以加"s"。所以请考生以听见的内容为准。

6.3 Cambridge 1 复数听写

Test Paper

语料测试表			
accounts [ə'kaʊnts] 账单，账户	addresses [ə'dresɪz] 地址	advertisers ['ædvətaɪzə(r)z] 广告客户	aeroplanes ['eərəpleɪnz] 飞机
ages ['eɪdʒɪz] 年龄	airlines ['eəlaɪnz] 航线；航空公司	aisles [aɪls] 通道，走道	apples ['æpls] 苹果
areas ['eərɪəz] 面积，地区	arrows ['ærəʊz] 箭	articles ['ɑːtɪkls] 文章	athletes ['æθliːts] 运动员
Australian artists ['ɑːtɪsts] 澳大利亚艺术家	Australians [ɒ'streɪlɪənz] 澳大利亚人	badges ['bædʒɪz] 证章；标记	bags [bægz] 书包
bananas [bə'nɑːnəz] 香蕉	banks [bæŋks] 银行	bicycles ['baɪsɪkls] 自行车	boats [bəʊts] 小船
boys [bɔɪz] 男孩	branches ['brɑːntʃɪz] 树枝；分支机构	buckles ['bʌkls] 带扣	bunches ['bʌntʃɪz] 串，花束
cabins ['kæbɪnz] 小屋	calculations [ˌkælkjʊ'leɪʃnz] 计算	cameras ['kæmərəz] 照相机	cases ['keɪsɪz] 事例，事情
cells [sels] 细胞；单人小室	chances ['tʃɑːnsɪz] 机会	checkouts ['tʃekaʊts] 付款台	cheques [tʃeks] 支票
chocolates ['tʃɒkləts] 巧克力	circumstances ['sɜːkəmstənsɪz] 情况	cities ['sɪtɪz] 城市	clubs [klʌbz] 俱乐部

companies	components	computers	concessions
['kʌmpənɪz]	[kəm'pəʊnənts]	[kəm'pjuːtə(r)z]	[kən'seʃnz]
公司	零件	计算机	让步；特许权
consultants	consumers	contents	costs
[kən'sʌltənts]	[kən'sjuːmə(r)z]	['kɒntents]	[kɒsts]
顾问	消费者	内容	费用；代价
customers	cycles	deals	decisions
['kʌstəmə(r)z]	['saɪkls]	[diːls]	[dɪ'sɪʒnz]
顾客	循环；脚踏车	交易	决定
degrees	departments	details	devices
[dɪ'griːz]	[dɪ'pɑːtmənts]	['diːteɪls]	[dɪ'vaɪsɪz]
程度；学位	部门；系	细节	设备，装置，仪器
difficulties	distances	districts	divisions
['dɪfɪkəltɪz]	['dɪstənsɪz]	['dɪstrɪkts]	[dɪ'vɪʒnz]
困难	距离	区	分开；部门
eggs	essays	exhibitions	eyes
[egz]	['eseɪz]	[ˌeksɪ'bɪʃnz]	[aɪz]
鸡蛋	论文	展览	眼睛
facilities	factors	facts	faculties
[fə'sɪlətɪz]	['fæktə(r)z]	[fækts]	['fækltɪz]
设施	因素	事实	能力，技能
farmers	farms	features	gears
['fɑːmə(r)z]	[fɑːmz]	['fiːtʃə(r)z]	[gɪə(r)z]
农民	农场	特色，特点	齿轮，传动装置
grandmas	grandpas	groups	growers
['grændmɑːz]	['grændpɑːz]	[gruːps]	['grəʊə(r)z]
祖母	祖父	组	种植者，栽培者
guarantees	habits	hillsides	hooks
[ˌgærən'tiːz]	['hæbɪts]	['hɪlsaɪdz]	[hʊks]
保证书	习惯	山腰，山坡	挂钩

industries	instruments	issues	lectures
['ɪndəstrɪz]	['ɪnstrəmənts]	['ɪʃuːz]	['lektʃə(r)z]
工业	仪器，器械；乐器	事件	授课
links	managers	mangoes	manufactures
[lɪŋks]	['mænɪdʒə(r)z]	['mæŋɡəʊz]	[ˌmænjʊ'fæktʃə(r)z]
环节，联系	经理	芒果	制造业
marks	measurements	members	memories
[mɑːks]	['meʒəmənts]	['membə(r)z]	['memərɪz]
标记	测量，测定	成员	记忆，记忆力
methods	movements	needs	nuts
['meθədz]	['muːvmənts]	[niːdz]	[nʌts]
方法	活动，运动	需要	坚果
objects	overdrafts	paintings	papers
['ɒbdʒɪkts]	['əʊvədrɑːfts]	['peɪntɪŋz]	['peɪpə(r)z]
物体	透支，透支金额	绘画；油画，水彩画	论文
parts	passengers	pens	pieces
[pɑːts]	['pæsɪndʒə(r)z]	[penz]	[piːsɪz]
部分	乘客	钢笔	片，张
pills	places	plantations	points
[pɪls]	['pleɪsɪz]	[plɑːn'teɪʃnz]	[pɔɪnts]
药丸，药片	地方，地点	农场；种植园	要点
policies	positions	prices	problems
['pɒləsɪz]	[pə'zɪʃnz]	['praɪsɪz]	['prɒbləmz]
政策，方针	地点，方位，位置	价格，价钱	问题
products	programs	purposes	quantities
['prɒdʌkts]	['prəʊɡræmz]	['pɜːpəsɪz]	['kwɒntətɪz]
产品	项目；程序	目的	数量

questions	reasons	records	refreshments
['kwestʃənz]	['riːznz]	['rekɔːdz]	[rɪ'freʃmənts]
问题	原因	记录	茶点、小吃等
reproductions	requirements	results	retailers
[ˌriːprə'dʌkʃnz]	[rɪ'kwaɪəmənts]	[rɪ'zʌlts]	['riːteɪlə(r)z]
再生，再制造	要求	结果	零售商
rooms	rows	sales	seats
[ruːmz]	[rəʊz]	[seɪls]	[siːts]
房间，房屋	横排，列	销售	座位
seconds	servings	shelves	ships
['sekəndz]	['sɜːvɪŋz]	[ʃelvz]	[ʃɪps]
秒；第二名；次品	服务；伺候	架子	船
shoppers	shops	souvenirs	spectators
['ʃɒpə(r)z]	[ʃɒps]	[ˌsuːvə'nɪə(r)z]	[spek'teɪtə(r)z]
顾客，购物者	商店	纪念品	观众
sportsmen	stages	stairs	steps
['spɔːtsmən]	['steɪdʒɪz]	[steə(r)z]	[steps]
运动员	舞台	楼梯	脚步
stores	stresses	students	studies
[stɔː(r)z]	['stresɪz]	['stjuːdnts]	['stʌdɪz]
商店	压力	学生	学习，研究
subjects	suckers	suitcases	supermarkets
['sʌbdʒɪkts]	['sʌkə(r)z]	['suːtkeɪsɪz]	['suːpəmɑːkɪts]
主题；学科	易受骗的人	手提箱	超市
tariffs	techniques	terms	texts
['tærɪfs]	[tek'niːks]	[tɜːmz]	[teksts]
关税，税率	技术	学期，时期	正文，文本
things	thoughts	tickets	toilets
[θɪŋz]	[θɔːts]	['tɪkɪts]	['tɔɪləts]
东西	思想	票	厕所

tutorials	values	vegetables	videos
[tjuːˈtɔːrɪəls]	[ˈvæljuːz]	[ˈvedʒtəbls]	[ˈvɪdɪəʊz]
导师	价值	蔬菜	录像
views	vitamins	voyages	weekdays
[vjuːz]	[ˈvɪtəmɪnz]	[ˈvɔɪdʒɪz]	[ˈwiːkdeɪz]
风景	维生素	航海，航行	平日，工作日
wheels	women	workers	
[wiːls]	[ˈwɪmɪn]	[ˈwɜːkə(r)z]	
车轮	女人	工人	

6.4　Cambridge 2 复数听写

Test Paper

语料测试表			
activities [æk'tɪvətɪz] 活动	administrators [əd'mɪnɪstreɪtə(r)z] 管理人员，行政 人员	animals ['ænɪməls] 动物	answers ['ɑːnsə(r)z] 答案
applicants ['æplɪkənts] 申请人	assignments [ə'saɪnmənts] 任务	balconies ['bælkənɪz] 阳台，露台	birds [bɜːdz] 鸟
books [bʊks] 图书，书籍	boots [buːts] 皮靴，长靴	bubbles ['bʌbls] 泡泡	bursts [bɜːsts] 爆炸，破裂
cars [kɑː(r)z] 小汽车	CDs [ˌsiː'diːz] 光盘	challenges ['tʃæləndʒɪz] 挑战	charities ['tʃærətɪz] 慈爱，慈善
children ['tʃɪldrən] 孩子	coaches ['kəʊtʃɪz] 长途汽车；教练	colleges ['kɒlɪdʒɪz] 高中，学院	countries ['kʌntrɪz] 国家
courses ['kɔːsɪz] 课程	crops [krɒps] 庄稼	curtains ['kɜːtnz] 窗帘	dams [dæmz] 水坝，水堤
deadlines ['dedlaɪnz] 截止期限，最后 期限	detours ['diːtʊə(r)z] 绕道，绕行的路	dictionaries ['dɪkʃənrɪz] 字典，辞典	differences ['dɪfrənsɪz] 不同处
directions [də'rekʃnz] 方向，方位	dissertations [ˌdɪsə'teɪʃnz] （博士）论文	distractions [dɪ'strækʃnz] 分心，干扰	diversions [daɪ'vɜːʃnz] 转向，转移
documentaries [ˌdɒkjʊ'mentrɪz] 纪录片	donkeys ['dɒŋkɪz] 驴	doors [dɔː(r)z] 门	drivers ['draɪvə(r)z] 司机

duties ['djuːtɪz] 责任；职位，职务	errors ['erə(r)z] 错误	evenings ['iːvnɪŋz] 晚上	events [ɪ'vents] 事件
examples [ɪg'zɑːmpls] 例子；样品；样本	expectations [ˌekspek'teɪʃnz] 期望，期待	explorers [ɪk'splɔːrə(r)z] 探险家，勘探者	families ['fæməlɪz] 家庭
favourites ['feɪvərɪts] 特别喜爱的人/物	figures ['fɪgə(r)z] 数字	findings ['faɪndɪŋz] 发现，发现物	flickers ['flɪkə(r)z] 闪烁；摇曳
flights [flaɪts] 飞行；航班	floors [flɔː(r)z] 地板	forms [fɔːmz] 形状；种类；表格	friends [frendz] 朋友
functions ['fʌŋkʃnz] 功能，作用	geographers [dʒɪ'ɒgrəfə(r)z] 地理学家	gorges ['gɔːdʒɪz] 峡谷	grants [grɑːnts] 助学金；救济
guides [gaɪdz] 向导，指导者	guys [gaɪz] 伙计，家伙	headaches ['hedeɪks] 头疼	hobbies ['hɒbɪz] 爱好
ideas [aɪ'dɪəz] 主意	imaginations [ɪˌmædʒɪ'neɪʃnz] 想象	improvements [ɪm'pruːvmənts] 改善，改进	individuals [ˌɪndɪ'vɪdʒʊəls] 个人，个体
injunctions [ɪn'dʒʌŋkʃnz] 连接处	interest groups 利益团体	interruptions [ˌɪntə'rʌpʃnz] 打断	jokes [dʒəʊks] 玩笑
keys [kiːz] 钥匙	kids [kɪdz] 小孩	lakes [leɪks] 湖，湖泊	legs [legz] 腿
letters ['letə(r)z] 信；字母	levels ['levls] 水平	lines [laɪnz] 绳，线，列	locks [lɒks] 锁

magazines [ˌmægəˈziːnz] 杂志	maps [mæps] 地图	matters [ˈmætə(r)z] 事情	meadows [ˈmedəʊz] 草地，牧草地
meals [miːls] 饭，餐	milestones [ˈmaɪlstəʊnz] 里程碑	minds [maɪndz] 头脑，智力	muggers [ˈmʌɡə(r)z] 强盗
names [neɪmz] 名字	newspapers [ˈnjuːspeɪpə(r)z] 报纸	novels [ˈnɒvls] 小说	officers [ˈɒfɪsə(r)z] 军官；公务员
offices [ˈɒfɪsɪz] 办公室	outdoors [ˌaʊtˈdɔːz] 户外，野外	outskirts [ˈaʊtskɜːts] 市郊，郊区	persons [ˈpɜːsnz] 人
pictures [ˈpɪktʃə(r)z] 图片，照片	pioneers [ˌpaɪəˈnɪə(r)z] 先驱者	plants [plɑːnts] 植物，农作物	plays [pleɪz] 戏剧
possessions [pəˈzeʃns] 所有物；财产	prerequisites [ˌpriːˈrekwəzɪts] 首要事物；必要条件；前提	productions [prəˈdʌkʃnz] 生产；制作；产量	programmes [ˈprəʊɡræmz] 节目
promotions [prəˈməʊʃnz] 提升，晋级	puddles [ˈpʌdls] 水坑；泥潭	qualifications [ˌkwɒlɪfɪˈkeɪʃnz] 资格，能力	queries [ˈkwɪərɪz] 要求，需求
questionnaires [ˌkwestʃəˈneə(r)z] 问卷，调查表	radios [ˈreɪdɪəʊz] 收音机	references [ˈrefrənsɪz] 参考，参照	regions [ˈriːdʒənz] 地区
reports [rɪˈpɔːts] 报告	reservoirs [ˈrezəvwɑː(r)z] 蓄水库；仓库	resources [rɪˈsɔːsɪz] 资源	respondents [rɪˈspɒndənts] 应答者
restaurants [ˈrestrɒnts] 饭店	routines [ruːˈtiːnz] 日常工作；惯例	rules [ruːls] 规则，规定	schools [skuːls] 学校

125

screens [skriːnz] 屏幕，荧光屏	seminars ['semɪnɑː(r)z] 研讨班	seniors ['siːnɪə(r)z] 前辈，大四学生	sessions ['seʃnz] 开会，集会；课程；时间
sexes ['seksɪz] 性别	sheets [ʃiːts] 床单；表格	shorts [ʃɔːts] 短裤	shows [ʃəʊz] 表演
snakes [sneɪks] 蛇	socks [sɒks] 短袜	soils [sɔɪls] 土地，土壤	sources ['sɔːsɪz] 根源，来源
sports hall 体育馆	springs [sprɪŋz] 春天；泉水	stints [stɪnts] 限量，定额	strategies ['strætədʒɪz] 战略，策略
streets [striːts] 街道	systems ['sɪstəmz] 系统；体系	tapes [teɪps] 磁带，录音带	tastes [teɪsts] 滋味，味道
teachers ['tiːtʃə(r)z] 教师	times [taɪmz] 倍数；时代	tools [tuːls] 工具	topics ['tɒpɪks] 题目，论题，话题
tourists ['tʊərɪsts] 旅游者	trousers ['traʊzəz] 裤子	tutors ['tjuːtə(r)z] 家庭教师	TVs [ˌtiːˈviːz] 电视机
venues ['venjuːz] 地点	viewers ['vjuːə(r)z] 观众	visits ['vɪzɪts] 参观，访问	watches [wɒtʃɪz] 手表
waterfalls ['wɔːtəfɔːz] 瀑布	windows ['wɪndəʊz] 窗户	winds [wɪndz] 风	wings [wɪŋz] 翼；翅膀
words [wɜːdz] 字，单词			

6.5 Cambridge 3 复数听写

Test Paper

语料测试表			
advantages [əd'vɑːntɪdʒɪz] 优势，优点	aggravations [ˌægrə'veɪʃnz] 加重，恶化	applications [ˌæplɪ'keɪʃnz] 申请，请求	aspects ['æspekts] 方面
backups ['bækʌps] 帮助，援助，支持	bathrooms ['bɑːθruːmz] 浴室	bedrooms ['bedruːmz] 卧室	beds [bedz] 床
buildings ['bɪldɪŋz] 建筑物	burglars ['bɜːglə(r)z] 窃贼，小偷	causes ['kɔːzɪz] 原因	ceilings ['siːlɪŋz] 天花板，顶棚
certificates [sə'tɪfɪkəts] 执照，证明书；文凭	chairs [tʃeə(r)z] 椅子	chicks [tʃɪks] 小鸡	climates ['klaɪməts] 天气，气候
combinations [ˌkɒmbɪ'neɪʃnz] 合作，组合	comments ['kɒments] 评论	conditions [kən'dɪʃnz] 条件	constraints [kən'streɪnts] 强制，限制
covers ['kʌvə(r)z] 覆盖物；封皮；表面	crocodiles ['krɒkədaɪls] 鳄鱼	cushions ['kʊʃnz] 垫子	dates [deɪts] 日期；枣
designers [dɪ'zaɪnə(r)z] 设计师	disadvantages [ˌdɪsəd'vɑːntɪdʒɪz] 劣势，缺点	doctors ['dɒktə(r)z] 医生；博士	effects [ɪ'fekts] 效果，影响
emergencies [ɪ'mɜːdʒənsɪz] 紧急	fans [fænz] 扇子；迷	fats [fæts] 脂肪	favours ['feɪvə(r)z] 喜爱，喜好
feathers ['feðə(r)z] 羽毛	files [faɪls] 文件夹	flowers ['flaʊə(r)z] 花	gadgets ['gædʒɪts] 小器具，小装置

garages	gifts	hats	heels
['gærɑːʒɪz]	[gɪfts]	[hæts]	[hiːls]
车库	礼物	帽子	足跟，后跟
hindquarters	hinges	houses	housewives
[haɪnd'kwɔːtəz]	['hɪndʒɪz]	['haʊsɪz]	['haʊswaɪvz]
（动物的）后臀及后腿	合叶	房子	家庭主妇
incubators	indicators	intents	interviews
['ɪŋkjʊbeɪtə(r)z]	['ɪndɪkeɪtə(r)z]	[ɪn'tents]	['ɪntəvjuːz]
孵化器	指示器	意图，意向	面试，接见
keyholes	kitchens	laundries	ligaments
['kiːhəʊls]	['kɪtʃɪnz]	['lɔːndrɪz]	['lɪgəmənts]
锁眼，钥匙孔	厨房	洗衣店，洗衣房	韧带；灯丝
margins	masses	materials	meats
['mɑːdʒɪnz]	['mæsɪz]	[mə'tɪərɪəls]	[miːts]
空白处	大多数，大部分	材料，原料	肉类
modifications	months	mornings	muscles
[ˌmɒdɪfɪ'keɪʃnz]	[mʌnθs]	['mɔːnɪŋz]	['mʌsls]
缓和，限制；更改，改变	月份	早晨	肌肉
notes	ostriches	outings	parents
[nəʊts]	['ɒstrɪtʃɪz]	['aʊtɪŋz]	['peərənts]
笔记，摘记	鸵鸟	远足，郊游	父母
patients	possibilities	practices	practitioners
['peɪʃnts]	[ˌpɒsə'bɪlətɪz]	['præktɪsɪz]	[præk'tɪʃənə(r)z]
病人	可能性，可能的事	练习	实习者
presents	properties	pupils	remedies
['preznts]	['prɒpətɪz]	['pjuːpls]	['remədɪz]
礼物	财产，所有物	小学生	补救，补偿

responses	rolls	roofs	Saturdays
[rɪ'spɒnsɪz]	[rəʊls]	[ruːfs]	['sætədeɪz]
回答；响应	一卷，滚动	屋顶	星期六
services	shades	shapes	shares
['sɜːvɪsɪz]	[ʃeɪdz]	[ʃeɪps]	[ʃeə(r)z]
服务	阴凉处	外形，形状	一份；股份
shoes	smokers	sports	suburbs
[ʃuːz]	['sməʊkə(r)z]	[spɔːts]	['sʌbɜːbz]
鞋	吸烟者	运动	郊区，城郊
sufferers	suggestions	Sundays	surgeries
['sʌfərə(r)z]	[sə'dʒestʃənz]	['sʌndeɪz]	['sɜːdʒəriz]
受害者，受难者	建议	星期日	外科手术
tables	tasks	trips	types
['teɪbls]	[tɑːsks]	[trɪps]	[taɪps]
桌子；表格	任务；工作	旅行	类型，种类
variations	waves	weekends	
[ˌveərɪ'eɪʃnz]	[weɪvz]	[ˌwiːk'endz]	
变化，变动	波涛，波浪	周末	

6.6 Cambridge 4 复数听写

Test Paper

语料测试表			
actions ['ækʃnz] 行动	acts [ækts] 行为，行动	amounts [ə'maʊnts] 数量	approaches [ə'prəʊtʃɪz] 靠近；方法
arts [ɑːts] 文科	authorities [ɔː'θɒrətɪz] 权力；权威	balloons [bə'luːnz] 气球	barbs [bɑːbz] 倒钩
basics ['beɪsɪks] 基本原理	beaches ['biːtʃɪz] 海滩，海滨	calls [kɔːls] 呼喊；电话	cards [kɑːdz] 卡片，名片
catches ['kætʃɪz] 捕获物	celebrations [ˌselɪ'breɪʃnz] 庆祝	centres ['sentə(r)z] 中心	centuries ['sentʃərɪz] 世纪
changes ['tʃeɪndʒɪz] 变化	circuses ['sɜːkəsɪz] 马戏团	colours ['kʌlə(r)z] 颜色，色彩	conclusions [kən'kluːʒnz] 结尾；结论
consequences ['kɒnsɪkwənsɪz] 结果，结论	cottages ['kɒtɪdʒɪz] 小屋，村舍	creatures ['kriːtʃə(r)z] 生物，动物	crimes [kraɪmz] 犯罪
crystals ['krɪstls] 水晶	days [deɪz] 天	developments [dɪ'veləpmənts] 发展	displays [dɪ'spleɪz] 陈列，展览
dollars ['dɒlə(r)z] 美元	drawbacks ['drɔːbæks] 缺点	drinks [drɪŋks] 饮料	employees [ɪm'plɔɪiːz] 雇员
exams [ɪg'zæmz] 考试	experiments [ɪk'sperɪmənts] 实验，试验	extensions [ɪk'stenʃnz] 延伸，延期	films [fɪlmz] 电影

fins	flats	funds	games
[fɪnz]	[flæts]	[fʌndz]	[geɪmz]
鱼鳍	公寓	资金，基金	游戏
gardens	goals	guests	gusts
['gɑːdnz]	[gəʊls]	[gests]	[gʌsts]
花园	目标	客人	（怒、笑等的）爆发；迸发，发作
halls	high-rises	holes	holidays
[hɔːls]	['haɪraɪzɪz]	[həʊls]	['hɒlədeɪz]
门厅，礼堂	高楼	洞	假日，假期
horses	hours	hovercrafts	humans
['hɔːsɪz]	['aʊə(r)z]	['hɒvəkrɑːfts]	['hjuːmənz]
马	小时	气垫船	人类
incidents	invitations	jobs	kilograms
['ɪnsɪdənts]	[ˌɪnvɪ'teɪʃnz]	[dʒɒbz]	['kɪləgræmz]
发生的事	邀请	职业，职位，工作	千克，公斤
leaves	lengths	lives	locations
['liːvz]	[leŋθs]	['laɪvz]	[ləʊ'keɪʃnz]
树叶	长度	生命，生活	地点
markets	metres	millions	minerals
['mɑːkɪts]	['miːtə(r)z]	['mɪljənz]	['mɪnərəls]
市场	米	百万	矿物，矿石
minutes	moments	Mondays	nets
['mɪnɪts]	['məʊmənts]	['mʌndeɪz]	[nets]
分钟	瞬间，片刻	星期一	网
numbers	offers	ones	operators
['nʌmbə(r)z]	['ɒfə(r)z]	[wʌnz]	['ɒpəreɪtə(r)z]
数字，号码	提议，提供	一个	操作员

options ['ɒpʃnz] 选择	organisations [ˌɔːgənaɪˈzeɪʃnz] 组织	others ['ʌðə(r)z] 其他人	owners ['əʊnə(r)z] 物主，所有人
paper clips 曲别针	performances [pə'fɔːmənsɪz] 演出，表演	performers [pə'fɔːmə(r)z] 演出者；执行者	pets [pets] 宠物
photos ['fəʊtəʊz] 照片	pounds [paʊndz] 英镑	premises ['premɪsɪz] 房屋或其他建筑物	puppeteers [ˌpʌpɪ'tɪə(r)z] 操纵木偶的人
puppets ['pʌpɪts] 木偶，玩偶	purists ['pjʊərɪsts] 纯粹主义者	quizzes ['kwɪzɪz] 小测验	railways ['reɪlweɪz] 铁路，铁道
recommendations [ˌrekəmen'deɪʃnz] 推荐，介绍	relationships [rɪ'leɪʃnʃɪps] 关系	rivers ['rɪvə(r)z] 河，河流	samples ['sɑːmpls] 样本，标本
sandwiches ['sænwɪtʃɪz] 三明治	scales [skeɪls] 范围，程度	school-leavers [skuːl'liːvə(r)z] 中途辍学者	sciences ['saɪənsɪz] 科学
seas [siːz] 海，大海	sections ['sekʃnz] 章节；部分；部门	segments ['segmənts] 片段	sharks [ʃɑːks] 鲨鱼
sides [saɪdz] 面，方，边	sites [saɪts] 位置，场所，地点	skills [skɪls] 技巧	snacks [snæks] 小吃，点心
sorts [sɔːts] 种类	speeches ['spiːtʃɪz] 演讲	stables ['steɪbls] 马厩	standards ['stændədz] 标准
sticks [stɪks] 枝条，棍，棒	supporters [sə'pɔːtə(r)z] 支持者，拥护者	surroundings [sə'raʊndɪŋz] 周围的环境	surveys ['sɜːveɪz] 调查

swans	swimmers	tenants	Thursdays
[swɒnz]	['swɪmə(r)z]	['tenənts]	['θɜːzdeɪz]
天鹅	游泳者	房客，承租人	星期四
tips	towns	transactions	travelers
[tɪps]	[taʊnz]	[træn'zækʃnz]	['trævələ(r)z]
末端，尖端	镇，城镇	交易，业务	旅游者
trees	tricks	victims	villages
[triːz]	[trɪks]	['vɪktɪmz]	['vɪlɪdʒɪz]
树	把戏，诡计	受害者，受灾者	乡村
walks	weeks	works	
[wɔːks]	[wiːks]	[wɜːks]	
步行	周	作品	

6.7 Cambridge 5 复数听写

Test Paper

语料测试表			
advisors [əd'vaɪzə(r)z] 顾问	agencies ['eɪdʒənsɪz] 代理处，中介	angles ['æŋgls] 角，角度	architects ['ɑːkɪtekts] 建筑师；设计师
arrangements [ə'reɪndʒmənts] 安排；准备	assistants [ə'sɪstənts] 助手，助理	assumptions [ə'sʌmpʃnz] 假定，设想	attitudes ['ætɪtjuːdz] 态度，意见，看法
babies ['beɪbɪz] 婴儿	bars [bɑː(r)z] 酒吧	benefits ['benɪfɪts] 利益，好处；优势	bikes [baɪks] 自行车
bills [bɪls] 账单	bookings ['bʊkɪŋz] 预订	bottles ['bɒtls] 瓶子	boxes ['bɒksɪz] 箱子
build-ups ['bɪldʌps] 发展，增强	bumpers ['bʌmpə(r)z] 保险杠；减震器	businesses ['bɪznəsɪz] 生意，交易	cancellations [ˌkænsə'leɪʃnz] 取消
categories ['kætəgərɪz] 种类；类目	CD-ROMS [siːdiː'rɒmz] 光驱	chapters ['tʃæptə(r)z] （书籍的）章，回	classes ['klɑːsɪz] 班级；课
coins [kɔɪnz] 硬币，钱币	communities [kə'mjuːnətɪz] 社区；共同体	competitions [ˌkɒmpə'tɪʃnz] 竞争；比赛	concerns [kən'sɜːnz] 关心的事；担心
congratulations [kənˌgrætʃʊ'leɪʃnz] 祝贺，恭喜	contacts ['kɒntækts] 接触；交往；联系	containers [kən'teɪnə(r)z] 容器	copies ['kɒpɪz] 副本
cots [kɒts] 村舍，小屋；儿童 摇床	cups [kʌps] 杯子	currents ['kʌrənts] 趋势；水流；电流	databases ['deɪtəbeɪsɪz] （电脑）数据库

discussions [dɪ'skʌʃnz] 讨论，研讨	dishes ['dɪʃɪz] 盘子，碟子，菜	documents ['dɒkjʊmənts] 公文，文件	DVDs [ˌdiːviː'diːz] 数字化视频光盘
edges ['edʒɪz] 边缘	emissions [ɪ'mɪʃnz] 放射；散发	extremes [ɪk'striːmz] 极端，末端	fees [fiːz] 酬金，服务费
finances ['faɪnænsɪz] 财政；金融	fingers ['fɪŋɡə(r)z] 手指	foods [fuːdz] 食品	forces ['fɔːsɪz] 力量，力气
goods [ɡʊdz] 货物	grips [ɡrɪps] 紧握；理解	handouts ['hændaʊts] 讲义，提纲	hopes [həʊps] 希望
householders ['haʊshəʊldə(r)z] 住户；户主	hundreds ['hʌndrədz] 数以百计；许多	initiatives [ɪ'nɪʃətɪvz] 创意；进取心	insights ['ɪnsaɪts] 眼光
instructions [ɪn'strʌkʃnz] 指示；教导	investments [ɪn'vestmənts] 投资	items ['aɪtəmz] 项目	jars [dʒɑː(r)z] 罐子
journeys ['dʒɜːnɪz] 旅行	juniors ['dʒuːnɪə(r)z] 大学三年级学生	kilocalories ['kiːləʊ'kælərɪz] 千卡	kinds [kaɪndz] 种类
layers ['leɪə(r)z] 层	lecturers ['lektʃərə(r)z] 授课教师	lessons ['lesnz] 课程	libraries ['laɪbrərɪz] 图书馆
loads [ləʊdz] 装载	makers ['meɪkə(r)z] 制造者	map-makers [mæp'meɪkə(r)z] 地图绘制者	matches ['mætʃɪz] 比赛，竞赛
meetings ['miːtɪŋz] 会议	men [men] 男人们	messages ['mesɪdʒɪz] 消息	mistakes [mɪ'steɪks] 错误

models	modules	negatives	opportunities
['mɒdls]	['mɒdjuːz]	['negətɪvz]	[ˌɒpə'tjuːnətɪz]
模型；模范；模特	模块；组件	否定，否决	机会
pencils	pensions	plastics	players
['pensls]	['penʃnz]	['plæstɪks]	['pleɪə(r)z]
铅笔	退休金，养老金	塑料，塑胶	运动员；演员
postgraduates	pretensions	printers	prizes
[ˌpəʊst'grædʒʊəts]	[prɪ'tenʃnz]	['prɪntə(r)z]	['praɪzɪz]
研究生	借口，托词	打印机	奖赏
processes	rations	referees	researchers
['prəʊsesɪz]	['ræʃnz]	[ˌrefə'riːz]	[rɪ's3ːtʃəz]
过程，进程	配给量，定量	裁判员	研究员；调查者
rides	risks	roads	savings
[raɪdz]	[rɪsks]	[rəʊdz]	['seɪvɪŋz]
骑；乘坐；搭乘	危险，风险	道路	储金；存款；积蓄
scientists	shirts	signs	sledges
['saɪəntɪsts]	[ʃ3ːts]	[saɪnz]	['sledʒɪz]
科学家们	衬衫	记号；标志	雪橇
solutions	speakers	statements	stations
[sə'luːʃnz]	['spiːkə(r)z]	['steɪtmənts]	['steɪʃnz]
解决（办法）	说话者；演讲者；演说家	陈述；说明	车站
stocks	summers	supplies	talks
[stɒks]	['sʌmə(r)z]	[sə'plaɪz]	[tɔːks]
库存	夏天	日常用品	谈话
targets	teams	telecommunications	testers
['tɑːgɪts]	[tiːmz]	[ˌtelɪkəˌmjuːnɪ'keɪʃnz]	['testə(r)z]
目标	团队	电信行业	实验员；测试器

toddlers	tons	tours	travels
['tɒdlə(r)z]	[tʌnz]	[tʊə(r)z]	['trævls]
幼童	吨	旅行，旅游	旅游
trends	umbrellas	undergraduates	universities
[trendz]	[ʌm'breləz]	[ˌʌndə'grædʒʊəts]	[ˌjuːnɪ'vɜːsətɪz]
趋势	雨伞	大学生	大学
uses	vacancies	ways	whales
['juːsɪz]	['veɪkənsɪz]	[weɪz]	[weɪls]
使用	空白；空缺	方法；方式	鲸鱼

6.8 Cambridge 6 复数听写

Test Paper

语料测试表			
actors ['æktə(r)z] 演员	attendants [ə'tendənts] 出席者；随员	audiences ['ɔːdiənsɪz] 观众	aunts [ɑːnts] 阿姨
axes ['æksɪz] 斧子	beasts [biːsts] 野兽	beginners [bɪ'ɡɪnə(r)z] 初学者	beginnings [bɪ'ɡɪnɪŋz] 开始，起点
booths [buːðz] 货摊；小亭	botanists ['bɒtənɪsts] 植物学家	bricks [brɪks] 砖块	brothers ['brʌðə(r)z] 兄弟们
careers [kə'rɪə(r)z] 事业	cassettes [kə'sets] 磁带	castles ['kɑːslz] 城堡	catalogues ['kætəlɒɡz] 目录
caverns ['kævənz] 洞穴，山洞	chefs [ʃefs] 主厨	choices ['tʃɔɪsɪz] 选择	colonizers ['kɒlənaɪzəz] 移居殖民地者
concerts ['kɒnsəts] 音乐会	conventions [kən'venʃnz] 大会；习俗；惯例	delegates ['delɪɡəts] 代表	descriptions [dɪ'skrɪpʃnz] 描述，描绘
docks [dɒks] 码头	dwellings ['dwelɪŋz] 住处，住宅	factories ['fæktrɪz] 工厂	fares [feə(r)z] 票价；车（船）费
feet [fiːt] 脚	females ['fiːmeɪlz] 女人	fires ['faɪə(r)z] 火，火灾	fishes ['fɪʃɪz] 鱼
fleets [fliːts] 舰队	fragments ['fræɡmənts] 碎片；片段	fruits [fruːts] 水果	gentlemen ['dʒentlmən] 绅士们

goats [gəʊts] 山羊	grandparents ['grændpeərənts] 祖父母	grounds [graʊndz] 地面	hands [hændz] 手
hooves [huːvz] 蹄	hunter-gatherers ['hʌntə(r)'gæðərə(r)z] 采猎者	hunters ['hʌntə(r)z] 猎人	hypotheses [haɪ'pɒθəsiːz] 假说；前提
images ['ɪmɪdʒɪz] 图片	innovations [ˌɪnə'veɪʃnz] 革新，改革，创新	interviewees [ˌɪntəvjuː'iːz] 被采访人	invasions [ɪn'veɪʒnz] 入侵，侵略
inventors [ɪn'ventə(r)z] 发明者	islands ['aɪləndz] 岛	journals ['dʒɜːnls] 学术期刊	kilometers ['kɪləmiːtə(r)z] 千米
ladies ['leɪdɪz] 女士们	landlords ['lændlɔːdz] 房东；地主	laptops ['læptɒps] 笔记本电脑	leaders ['liːdə(r)z] 领导者
lions ['laɪənz] 狮子	manuals ['mænjʊəls] 手册，简介	merchants ['mɜːtʃənts] 商人	moneylenders ['mʌnɪlendə(r)z] 放债者
movies ['muːvɪz] 电影	museums [mjʊ'ziːəmz] 博物馆	newcomers ['njuːkʌmə(r)z] 新来的人；新手	observations [ˌɒbzə'veɪʃnz] 观察
origins ['ɒrɪdʒɪnz] 起源；由来	parks [pɑːks] 公园	phones [fəʊnz] 电话	pots [pɒts] 罐，壶
pubs [pʌbz] 酒馆，酒吧	reels [riːls] 卷线筒	relations [rɪ'leɪʃnz] 关系	reservations [ˌrezə'veɪʃnz] 保留；预订
restrictions [rɪ'strɪkʃnz] 限制；约束	Romans ['rəʊmənz] 罗马人	scenes [siːnz] 场面	schemes [skiːmz] 计划，方案

series	settlements	settlers	shelters
['sɪərɪz]	['setlmənts]	['setlə(r)z]	['ʃeltə(r)z]
连续，系列	解决；殖民	移居者，殖民者	遮盖物
splashes	stitches	structures	subtitles
['splæʃɪz]	['stɪtʃɪz]	['strʌktʃə(r)z]	['sʌbtaɪtls]
溅；斑点	针脚，针线	结构，构造	副标题
technologies	tests	textbooks	theaters
[tek'nɒlədʒɪz]	[tests]	['tekstbʊks]	['θɪətə(r)z]
技术	测验	教科书，课本	剧场，电影院
tiles	tops	trains	tribes
[taɪls]	[tɒps]	[tɾemz]	[traɪbz]
瓷砖，地砖	顶端	火车	部落，宗族
T-shirts	uncles	varieties	vessels
['tiːʃ3ːts]	['ʌnkls]	[və'raɪətɪz]	['vesls]
T恤衫	叔叔	多样化，变化	船，舰
visitors	walls	workshops	worlds
['vɪzɪtə(r)z]	[wɔːls]	['wɜːkʃɒps]	[wɜːldz]
访问者；参观者	墙	工厂，作坊	世界
writers	zones		
['raɪtə(r)z]	[zəʊnz]		
作者	地带，地区		

6.9 Cambridge 7 复数听写

Test Paper

语料测试表			
achievements [ə'tʃiːvmənts] 达成，成就	adults ['ædʌlts] 成年人	ants [ænts] 蚂蚁	apartments [ə'pɑːtmənts] 公寓
apes [eɪps] 大猩猩	attractions [ə'trækʃnz] 吸引	binoculars [bɪ'nɒkjələz] 望远镜	blankets ['blæŋkɪts] 毛毯
buckets ['bʌkɪts] 水桶	carbohydrates [ˌkɑːbəʊ'haɪdreɪts] 碳水化合物	carpets ['kɑːpɪts] 地毯	carvings ['kɑːvɪŋz] 雕刻
caves [keɪvz] 山洞	cellists ['tʃelɪsts] 大提琴演奏者	chains [tʃeɪnz] 链，链条	claims [kleɪmz] 主张，断言
clients ['klaɪənts] 顾客	concepts ['kɒnsepts] 概念，观念，思想	corrections [kə'rekʃnz] 修改，校正	counterparts ['kaʊntəpɑːts] 极其相似的人或物
cubs [kʌbz] 幼兽	cuisines [kwɪ'ziːnz] 特色菜	cultures ['kʌltʃə(r)z] 文化	departures [dɪ'pɑːtʃə(r)z] 离开
engravings [ɪn'greɪvɪŋz] 雕刻；版画	enquiries [ɪn'kwaɪərɪz] 询问；调查	expects [ɪk'spekts] 期望	expeditions [ˌekspə'dɪʃnz] 远征，探险
expenses [ɪk'spensɪz] 费用	experiences [ɪk'spɪərɪənsɪz] 经验，经历	faces ['feɪsɪz] 脸	floats [fləʊts] 漂浮物
foothills ['fʊthɪlz] 山麓小丘	footprints ['fʊtprɪnts] 脚印，足迹	fossils ['fɒslz] 化石	governments ['gʌvənmənts] 政府
hills [hɪlz] 小山	holidaymakers ['hɒlədeɪmeɪkə(r)z] 假日游客	hotels [həʊ'telz] 饭店	implications [ˌɪmplɪ'keɪʃnz] 暗示

languages	leaflets	limits	machines
['læŋgwɪdʒɪz]	['liːfləts]	['lɪmɪts]	[mə'ʃiːnz]
语言	传单	限制	机器
mansions	mechanics	mirrors	missions
['mænʃnz]	[mə'kænɪks]	['mɪrə(r)z]	['mɪʃnz]
大厦，大楼	技术，技巧	镜子	任务
mops	musicians	oceans	parties
[mɒps]	[mjʊ'zɪʃnz]	['əʊʃnz]	['pɑːtɪz]
拖把	音乐家	海洋	聚会；政党
peaks	photographs	pizzas	projects
[piːks]	['fəʊtəgrɑːfs]	['piːtsəz]	['prɒdʒekts]
山峰	照片	比萨饼	项目，工程
qualities	rains	rates	recruits
['kwɒlətɪz]	[reɪnz]	[reɪts]	[rɪ'kruːts]
质量；特性，本质	雨	比例，比率	新兵，新手，新成员
residents	responsibilities	rewards	rings
['rezɪdənts]	[rɪˌspɒnsə'bɪlətɪz]	[rɪ'wɔːdz]	[rɪŋz]
居民	责任	报答；报偿	指环
rocks	roles	scholars	sights
[rɒks]	[rəʊls]	['skɒlə(r)z]	[saɪts]
岩石	角色；作用	奖学金	视觉，视界
signals	soldiers	storehouses	talents
['sɪgnəls]	['səʊldʒə(r)z]	['stɔːhaʊsɪz]	['tælənts]
信号	士兵	仓库，货栈	天才
tents	toys	tracks	treats
[tents]	[tɔɪz]	[træks]	[triːts]
帐篷	玩具	行踪；轨道	款待；乐事
valleys	violinists	visuals	walkers
['vælɪz]	[ˌvaɪə'lɪnɪsts]	['vɪʒuəls]	['wɔːkə(r)z]
山谷，溪谷	小提琴手	视觉资料	散步者
warehouses	watchers		
['weəhaʊsɪz]	['wɒtʃə(r)z]		
仓库，货栈	观看的人		

6.10 Cambridge 8 复数听写

Test Paper

语料测试表			
aborigines [ˌæbəˈrɪdʒənɪz] 土著居民	agriculturists [ˈægrɪkʌltʃərɪsts] 农学家	artists [ˈɑːtɪsts] 艺术家	attempts [əˈtempts] 企图，尝试
authors [ˈɔːθə(r)z] 作家	barriers [ˈbærɪə(r)z] 路障，栅栏	belongings [bɪˈlɒŋɪŋz] 财产	bodies [ˈbɒdɪz] 身体
bombs [bɒmz] 炸弹	characteristics [ˌkærəktəˈrɪstɪks] 特性，特征	cinemas [ˈsɪnəməz] 电影院	considerations [kənˌsɪdəˈreɪʃnz] 考虑
controls [kənˈtrəʊls] 支配，控制	dimensions [daɪˈmenʃnz] 尺寸	dinosaurs [ˈdaɪnəsɔː(r)z] 恐龙	drums [drʌmz] 鼓
environments [ɪnˈvaɪrənmənts] 环境	exhibits [ɪgˈzɪbɪts] 展示，陈列	experts [ˈekspɜːts] 专家	flutes [fluːts] 长笛，横笛
footers [ˈfʊtə(r)z] 步行的人	guitars [gɪˈtɑː(r)z] 吉他	hardships [ˈhɑːdʃɪps] 艰难，困苦	headers [ˈhedə(r)z] 头球
hectares [ˈhekteə(r)z] 公顷	insects [ˈɪnsekts] 昆虫	intersections [ˌɪntəˈsekʃnz] 横断；交叉	landsats [ˈlændsæts] 资源卫星
locals [ˈləʊkls] 本地人	means [miːnz] 手段，方法，工具	monoliths [ˈmɒnəlɪθs] 巨型独石	operas [ˈɒpərəz] 歌剧院
outcrops [ˈaʊtkrɒps] （矿脉的）露出	painters [ˈpeɪntə(r)z] 画家	participants [pɑːˈtɪsɪpənts] 参与者	patterns [ˈpætnz] 花样，图案

pavements	pedestrians	pellets	plates
['peɪvmənts]	[pə'destrɪənz]	['pelɪts]	[pleɪts]
人行道	步行者，行人	丸，颗粒	盘子
practicalities	priorities	relays	reviews
[ˌpræktɪ'kælətɪz]	[praɪ'ɒrətɪz]	['riːleɪz]	[rɪ'vjuːz]
实际，实用性，实例	优先权	回答	复审
saucers	scholarships	screenings	sculptures
['sɔːsə(r)z]	['skɒləʃɪps]	['skriːnɪŋz]	['skʌlptʃə(r)z]
茶碟	奖学金	筛屑	雕刻品，雕像
shells	shifts	shores	species
[ʃels]	[ʃɪfts]	[ʃɔː(r)z]	['spiːʃiːz]
贝壳	转移，转换	岸，海滨	种类
spires	spots	subheadings	substances
['spaɪə(r)z]	[spɒts]	[ˌsʌb'hedɪŋz]	['sʌbstənsɪz]
螺旋，螺线	斑点，污块	副标题	物质
successes	threats	towels	typos
[sək'sesɪz]	[θrets]	['taʊəls]	['taɪpəʊz]
成功	威吓，恐吓	毛巾	排字工
units	vehicles	volcanoes	waiters
['juːnɪts]	['viːəkls]	[vɒl'keɪnəʊz]	['weɪtə(r)z]
单元	车辆	火山	服务生

6.11 Cambridge 9 复数听写

语料测试表			
acres ['eɪkə(r)z] 英亩	apartments [ə'pɑːtmənts] 公寓	architects ['ɑːkɪtekts] 建筑师	assignments [ə'saɪnmənts] 作业
autographs ['ɔːtəɡrɑːfs] 亲笔签名	benefits ['benɪfɪts] 优点	branches [brɑːntʃɪz] 分支	bulbs [bʌlbz] 白炽灯
chemicals ['kemɪkls] 化学物质	colloquialisms [kə'ləʊkwɪəlɪzəmz] 口语	congratulations [kən,grætʃʊ'leɪʃnz] 祝贺	creatures ['kriːtʃə(r)z] 生物
credits ['kredɪts] 信用	customers ['kʌstəmə(r)z] 顾客	cuttings ['kʌtɪŋz] 简报，剪辑	decisions [dɪ'sɪʒnz] 决定
departments [dɪ'pɑːtmənts] 系，部门	descriptions [dɪ'skrɪpʃnz] 描述	designs [dɪ'zaɪnz] 设计	details ['diːteɪls] 细节
dispensaries [dɪ'spensərɪz] 药房	dissertations [,dɪsə'teɪʃnz] 论文	dolphins ['dɒlfɪnz] 海豚	economies [ɪ'kɒnəmɪz] 经济
energies ['enədʒɪz] 能源	entrants ['entrənts] 参加者	experiments [ɪk'sperɪmənts] 实验	experts ['eksp3ːts] 专家
facilities [fə'sɪlətɪz] 设施	factors ['fæktə(r)z] 因素	features ['fiːtʃə(r)z] 特点	fixtures ['fɪkstʃə(r)z] 体育活动
go-karts ['ɡəʊkɑːts] 卡丁车	hawks [hɔːks] 鹰	hedges [hedʒɪz] 树篱	herbs [h3ːbz] 草药
injuries ['ɪndʒərɪz] 受伤	insects ['ɪnsekts] 昆虫	journals ['dʒ3ːnls] 学术期刊	lamps [læmps] 灯

locations	locomotives	mammals	managers
[ləʊˈkeɪʃnz]	[ˌləʊkəˈməʊtɪvz]	[ˈmæmls]	[ˈmænɪdʒə(r)z]
地点	机车	哺乳动物	经理
markets	materials	medicals	memos
[ˈmɑːkɪts]	[məˈtɪərɪəls]	[ˈmedɪkls]	[ˈmeməʊz]
市场	材料	医疗	备忘录
mirrors	networks	observations	occupants
[ˈmɪrə(r)z]	[ˈnetwɜːks]	[ˌɒbzəˈveɪʃnz]	[ˈɒkjəpənts]
镜子	网络	观察	占据者
options	organisations	parasites	pillows
[ˈɒpʃnz]	[ˌɔːgənaɪˈzeɪʃnz]	[ˈpærəsaɪts]	[ˈpɪləʊz]
选择	组织	寄生虫	枕头
pizzas	preferences	priorities	procedures
[ˈpiːtsəz]	[ˈprefrənsɪz]	[praɪˈɒrətɪz]	[prəˈsiːdʒə(r)z]
比萨饼	喜好	优先权	过程
professionals	projects	pupils	purposes
[prəˈfeʃənls]	[ˈprɒdʒekts]	[ˈpjuːpls]	[ˈpɜːpəsɪz]
专业人士	项目	学生	目的
qualities	radiators	recommendations	referees
[ˈkwɒlətɪz]	[ˈreɪdɪeɪtə(r)z]	[ˌrekəmenˈdeɪʃnz]	[ˌrefəˈriːz]
质量	散热器	推荐	证明人
references	refreshments	researchers	resources
[ˈrefrənsɪz]	[rɪˈfreʃmənts]	[rɪˈsɜːtʃ(r)z]	[rɪˈsɔːsɪz]
参考书目	零食小吃	研究者	资源
restaurants	sales	samples	semesters
[ˈrestrɒnts]	[seɪls]	[ˈsɑːmpls]	[sɪˈmestə(r)z]
餐厅	销售	样本	学期
sessions	souvenirs	species	storeys
[ˈseʃnz]	[ˌsuːvəˈnɪə(r)z]	[ˈspiːʃiːz]	[ˈstɔːrɪz]
课程时间	纪念品	物种	楼层

strandings	strategies	techniques	textbooks
[strændɪŋz]	['strætədʒɪz]	[tek'niːks]	['tekstbʊks]
（海豚）搁浅	策略	科技	教材
theories	tiles	toxins	tunnels
['θɪərɪz]	[taɪls]	['tɒksɪnz]	['tʌnls]
理论	瓦	有毒物质	隧道
tutorials	vacancies	values	visitors
[tjuː'tɔːrɪəls]	['veɪkənsɪz]	['væljuːz]	['vɪzɪtə(r)z]
小组讨论	空缺	价值	访客
whales	willows		
[weɪls]	['wɪləʊz]		
鲸鱼	柳树		

6.12 Cambridge 10 复数听写

Test Paper

语料测试表			
candles ['kændls] 蜡烛	donations [dəʊ'neɪʃnz] 捐赠	bills [bɪls] 账单	painkillers ['peɪnkɪlə(r)z] 止痛药
categories ['kætəgəriz] 分类	labels ['leɪbls] 标签	ferries ['feriz] 轮渡	trails [treɪls] 踪迹
rangers ['reɪndʒə(r)z] 护林员	fireplaces ['faɪəpleɪsɪz] 壁炉	networkers ['netwɜːkə(r)z] 网络人员	appendices [ə'pendɪsiːs] 附件
decisions [dɪ'sɪʒnz] 决定	herds [hɜːdz] 群	arrows ['ærəʊz] 箭头	spears [spɪə(r)z] 矛
segments ['segmənts] 部分	germs [dʒɜːmz] 细菌	insects ['ɪnsekts] 昆虫	stems [stemz] 茎
obstacles ['ɒbstəkls] 困难	contaminants [kən'tæmɪnənts] 污染物	soldiers ['səʊldʒə(r)z] 士兵	fluids ['fluːɪdz] 液体
pollutants [pə'luːtənts] 污染物	guidelines ['gaɪdlaɪnz] 方针政策	perfumes ['pɜːfjuːmz] 香水	pirates ['paɪrəts] 海盗
cosmetics [kɒz'metɪks] 化妆品	carpets ['kɑːpɪts] 地毯	worms [wɜːmz] 虫子	butterflies ['bʌtəflaɪz] 蝴蝶
aspirations [ˌæspə'reɪʃnz] 渴望	cables ['keɪbls] 电缆	predators ['predətə(r)z] 捕食者	peers [pɪə(r)z] 同龄人
rags [rægs] 破布	cliffs [klɪfs] 悬崖		

Chapter 7

雅思听力
拼写语料库

拼写、速记、长难模糊训练

资料更新
及补充

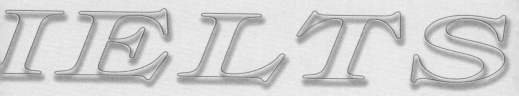

7.1 语料训练方法（5）

缩写单词

这是由Hallie在听力教学和雅思实战中总结出来的卓有成效的应试策略。很多单词较长，在听的过程中可以用缩写表示，最后在誊写答案的时候再完成细节。比如accommodation可以用A来表示。

考生可以养成自己独特的缩写习惯。

双写单词

有些单词因为有双写现象，很多考生容易丢落字母，造成拼写错误。所以，凡涉及双写的单词，要给予关注。

发音语料

有些单词由于有不发音的字母，考生在记忆过程中容易出错。

语法语料

有些语料在拼写过程中容易出错，是因为语法现象造成的。

7.2 Abbreviation 缩写

在平时记单词的时候，长单词也许会让考生感到头痛，但是经过总结和比对，发现真正特别长的单词并不多。

这些单词可以通过缩写在考试中提升速度。比如accommodation可以缩写为A。▲为推荐缩写。

Test Paper

A

abbreviation [əˌbriːvɪˈeɪʃn] *n.* 缩写

▲ accommodation [əˌkɒməˈdeɪʃn] *n.* 住宿

accountancy [əˈkaʊntənsɪ] *n.* 会计学

acknowledgement [əkˈnɒlɪdʒmənt] *n.* 鸣谢

administrator [ədˈmɪnɪstreɪtə(r)] *n.* 管理者

advertisement [ədˈvɜːtɪsmənt] *n.* 广告

announcement [əˈnaʊnsmənt] *n.* 宣布

apostrophe [əˈpɒstrəfɪ] *n.* 右上角省略号

B

▲ bibliography [ˌbɪblɪˈɒɡrəfɪ] *n.* 参考书目

biographies [baɪˈɒɡrəfɪz] *n.* 传记片

C

circulation [ˌsɜːkjəˈleɪʃn] *n.* 交流

commonsense [ˈkɒmənˈsens] *adj.* 有常识的

▲ communication [kəˌmjuːnɪˈkeɪʃn] *n.* 交流

composition [ˌkɒmpəˈzɪʃn] *n.* 组成部分，作文

compulsory [kəmˈpʌlsərɪ] *adj.* 必修的

concentration [ˌkɒnsnˈtreɪʃn] *n.* 集中

conference [ˈkɒnfərəns] *n.* 正式会议

contaminant [kən'tæmɪnənt] *n.* 污染物

curriculum [kə'rɪkjələm] *n.* 课程，课程表

D

declaration [ˌdeklə'reɪʃn] *n.* 宣告

▲ decoration [ˌdekə'reɪʃn] *n.* 装修，装饰

dedication [ˌdedɪ'keɪʃn] *n.* 奉献

deteriorate [dɪ'tɪərɪəreɪt] *v.* 恶化

documentation [ˌdɒkjʊmen'teɪʃn] *n.* 证据，证明材料

drowsiness [draʊzɪnɪs] *n.* 睡意

E

educational [ˌedʒʊ'keɪʃənl] *adj.* 教育的

elementary [ˌelɪ'mentrɪ] *adj.* 初级的

emergency [ɪ'mɜːdʒənsɪ] *n.* 紧急

▲ entertainment [ˌentə'teɪnmənt] *n.* 娱乐

enthusiasm [ɪn'θjuːzɪæzəm] *n.* 热情

environment [ɪn'vaɪrənmənt] *n.* 环境

evolution [ˌiːvə'luːʃn] *n.* 进化

expansion [ɪk'spænʃn] *v.* 扩充

expectancy [ɪk'spektənsɪ] *n.* 期待

expenditure [ɪk'spendɪtʃə(r)] *n.* 经费

F

▲ frequency ['friːkwənsɪ] *n.* 频率

fundamental [ˌfʌndə'mentl] *adj.* 基本的

G

geographical [ˌdʒɪə'græfɪkl] *adj.* 地理学的

▲ government ['gʌvənmənt] *n.* 政府

gymnastics [dʒɪm'næstɪks] *n.* 体操

H

▲ hamburger ['hæmbɜːgə(r)] *n.* 汉堡包

hazardous ['hæzədəs] *adj.* 冒险的，危险的

headphones ['hedfəʊnz] *n.* 耳机

herbivorous [hɜː'bɪvərəs] *adj.* 食草的

I

ignorance ['ɪgnərəns] *n.* 无知

inadequate [ɪn'ædɪkwət] *adj.* 不足的

incorrect [ˌɪnkə'rekt] *adj.* 不正确的

independence [ˌɪndɪ'pendəns] *n.* 独立

informative [ɪn'fɔːmətɪv] *adj.* 通知的，有信息的

infrastructure ['ɪnfrəstrʌktʃə(r)] *n.* 基础设施

injunction [ɪn'dʒʌŋkʃn] *n.* 命令

intelligence [ɪn'telɪdʒəns] *n.* 智力

interaction [ˌɪntər'æktʃn] *n.* 互动

▲ intermediate [ˌɪntə'miːdɪət] *adj.* 中级的

interpersonal [ˌɪntə'pɜːsənl] *adj.* 人际关系的

intervention [ˌɪntə'venʃn] *n.* 干涉

interviewee [ˌɪntəvjuː'iː] *n.* 受访者

investigation [ɪnˌvestɪ'geɪʃn] *n.* 调查

J

▲ journalist ['dʒɜːnəlɪst] *n.* 记者

K

▲ kangaroo [ˌkæŋgə'ruː] *n.* 袋鼠

kaleidoscope [kə'laɪdəskəʊp] *n.* 万花筒

L

▲ literature ['lɪtərətʃə] *n.* 文学

logistical [lə'dʒɪstɪkl] *adj.* 物流的

M

magnificent [mæg'nɪfɪsnt] *adj.* 华丽的

maintenance ['meɪntənəns] *n.* 维护

▲ management ['mænɪdʒmənt] *n.* 管理

mathematics [ˌmæθə'mætɪks] *n.* 数学

Melbourne ['melbən] *n.* 墨尔本

monologue ['mɒnəlɒg] *n.* 独白

mosquito [mə'skiːtəʊ] *n.* 蚊子

N

▲ nationality [ˌnæʃə'nælətɪ] *n.* 国籍

navigation [ˌnævɪ'geɪʃn] *n.* 航海

neighbouring ['neɪbərɪŋ] *adj.* 邻居的

newsreel ['njuːzriːl] *n.* 新闻片，纪录片

O

objective [əb'dʒektɪv] *adj.* 客观的

observation [ˌɒbzə'veɪʃn] *n.* 观察

occasion [ə'keɪʒn] *n.* 场合

occupation [ˌɒkjʊ'peɪʃn] *n.* 职业

▲ opportunity [ˌɒpə'tjuːnətɪ] *n.* 机会

orientation [ˌɔːrɪən'teɪʃᵄn] *n.* 新生入学教育会

P

painkiller ['peɪnkɪlə(r)] *n.* 止痛片

penicillin [ˌpenɪ'sɪlɪn] *n.* 盘尼西林

pensioner ['penʃənə(r)] *n.* 领退休金者

percentage [pə'sentɪdʒ] *n.* 百分比

▲ performance [pə'fɔːməns] *n.* 表现，表演

photocopy ['fəʊtəʊkɒpɪ] *n.* 影印，复印

photojournalism [ˌfəʊtəʊ'dʒɜːnəlɪzəm] *n.* 摄影新闻学

pneumonia [njʊ'məʊnɪə] *n.* 肺炎

population [ˌpɒpjʊ'leɪʃn] *n.* 人口

psychiatric [ˌsaɪkɪ'ætrɪk] *adj.* 精神病的

psycholinguistics [ˌsaɪkəʊlɪŋ'gwɪstɪks] *n.* 心理语言学

psychological [ˌsaɪkə'lɒdʒɪkl] *adj.* 心理的

Q

qualification [ˌkwɒlɪfɪ'keɪʃn] *n.* 资格

▲ questionnaire [ˌkwestʃə'neə(r)] *n.* 问卷

R

receptionist [rɪ'sepʃənɪst] *n.* 接待员

recommendation [ˌrekəmen'deɪʃn] *n.* 推荐

recreation [ˌrekrɪ'eɪʃn] *n.* 娱乐

refreshment [rɪ'freʃmənt] *n.* 饮料

refrigerator [rɪ'frɪdʒəreɪtə(r)] *n.* 冰箱

representative [ˌreprɪ'zentətɪv] *n.* 代表

requirement [rɪ'kwaɪəmənt] *n.* 要求

resistance [rɪ'zɪstəns] *n.* 抵抗

▲ responsibility [rɪˌspɒnsə'bɪlətɪ] *n.* 责任

S

satisfaction [ˌsætɪs'fækʃn] *n.* 满意

secondary ['sekəndrɪ] *adj.* 第二的

sophomore ['sɒfəmɔː(r)] *n.* 大二学生

▲ souvenir [ˌsuːvə'nɪə(r)] *n.* 纪念品

specialized ['speʃəlaɪzd] *adj.* 特别的，专门的

systematic [ˌsɪstə'mætɪk] *adj.* 系统的

T

technique [tek'niːk] *n.* 技术

▲ temperature ['temprətʃə(r)] *n.* 温度

theoretical [ˌθɪə'retɪkl] *adj.* 理论的，理论上的

transportation [ˌtrænspɔː'teɪʃn] *n.* 运费，运送，运输，流放

U

unanimous [jʊ'nænɪməs] *adj.* 意见一致的

uncomfortable [ʌn'kʌmftəbl] *adj.* 不舒服的

unconvincing [ˌʌnkən'vɪnsɪŋ] *adj.* 没有说服力的

▲ undergraduate [ˌʌndə'grædʒʊət] *n.* 本科生

underground ['ʌndəgraʊnd] *adj.* 地下的

unemployment [ˌʌnɪm'plɔɪmənt] *n.* 失业

V

▲ vegetarian [ˌvedʒə'teərɪən] *n.* 素食主义者

verbalization [ˌvɜːbəlaɪ'zeɪʃən] *n.* 冗长

videotape ['vɪdɪəʊteɪp] *n.* 录像带

vocabulary [və'kæbjələrɪ] *n.* 词汇

W

Washington ['wɒʃɪŋtən] *n.* 华盛顿

▲ waterproof ['wɔːtəpruːf] *adj.* 防水的

westerner ['westənə(r)] *n.* 西方人

Wollongong ['wʊləngɒŋ] *n.* 卧龙岗

7.3 Pronunciation 发音

Test Paper

achievement [ə'tʃiːvmənt] n. 成功	orientation [ˌɔːrɪən'teɪʃn] n. 新生入学教育
administrator [əd'mɪnɪstreɪtə(r)] n. 管理者	Forbes ['fɔːbɪs] n. 福布斯
aisle [aɪl] n. 过道	vehicle ['viːəkl] n. 车辆
guidance ['gaɪdns] n. 指导	guitar [gɪ'tɑː(r)] n. 吉他
maintenance ['meɪntənəns] n. 维护	disturbance [dɪ'stɜːbəns] n. 打扰
librarian [laɪ'breərɪən] n. 图书管理员	vegetarian [ˌvedʒə'teərɪən] n. 素食主义者
grant [grɑːnt] n. 助学金	advantage [əd'vɑːntɪdʒ] n. 优势
wretched ['retʃɪd] adj. 废弃的	writer ['raɪtə(r)] n. 作家
ambiguous [æm'bɪgjʊəs] adj. 有歧义的	linguistics [lɪŋ'gwɪstɪks] n. 语言学

hoarse [hɔːs] *adj.* 嘶哑的	coarse [kɔːs] *adj.* 粗糙的
dedicate ['dedɪkeɪt] *v.* 奉献	delegation [ˌdelɪ'geɪʃn] *n.* 代表团
malaria [mə'leərɪə] *n.* 疟疾	Malaysia [mə'leɪʒə] *n.* 马来西亚
fabric ['fæbrɪk] *n.* 纺织品	February ['febrʊərɪ] *n.* 二月
ascending [ə'sendɪŋ] *adj.* 上升的	psychiatric [ˌsaɪkɪ'ætrɪk] *adj.* 精神病的
knight [naɪt] *n.* 骑士，封爵	Wednesday ['wenzdeɪ] *n.* 星期三
rehearsal [rɪ'hɜːsl] *n.* 演习，彩排	utensils [juː'tensls] *n.* 器皿
diploma [dɪ'pləʊmə] *n.* 毕业证书	genetic [dʒə'netɪk] *adj.* 遗传的
distant ['dɪstənt] *adj.* 远的	distribution [ˌdɪstrɪ'bjuːʃn] *n.* 分布
archaeological [ˌɑːkɪə'lɒdʒɪkl] *adj.* 考古学的	intelligence [ɪn'telɪdʒəns] *n.* 智力

barbecue	Tuesday
['bɑːbɪkjuː]	['tjuːzdeɪ]
n. 烧烤	n. 星期二
fridge	height
[frɪdʒ]	[haɪt]
n. 冰箱	n. 高度
fever	helmet
['fiːvə(r)]	['helmɪt]
n. 发烧	n. 头盔
brochure	tutorial
['brəʊʃə(r)]	[tjuː'tɔːrɪəl]
n. 小册子	n. 由导师带领的小组讨论
fraud	insurance
[frɔːd]	[ɪn'ʃʊərəns]
n. 诈骗，假货	n. 保险
laboratory	Yen
[lə'bɒrətrɪ]	[jen]
n. 实验室	n. 日元
develop	envelope
[dɪ'veləp]	['envələʊp]
v. 发展	n. 信封
during	Duke
['djʊərɪŋ]	[djuːk]
prep. 在……的整个期间	n. 公爵

*clothes: 要注意最后没有单独[z]的发音。

*tutorial: tu放在一起的词，如tutor, tube和Tuesday，第一个音节不要读成[tjuː]，即使音标是这么写的，也要读成 [djuː]。

*during和duke的第一个音节读成 [dʒ]，不是[djʊ]。

*record: 一共有三种读音：['rekɔːd, 'rekərd, rɪ'kɔːd]。

7.4 Grammar 语法错觉

Test Paper

1. 不可丢掉的s

linguistics [lɪŋˈgwɪstɪks] *n.* 语言学

politics [ˈpɒlətɪks] *n.* 政治

statistics [stəˈtɪstɪks] *n.* 统计学（专业）

mathematics [ˌmæθəˈmætɪks] *n.* 数学（专业）

2. 语法变化后的字母

arts [ɑːts] *n.* 文科（必须用复数）

studies [ˈstʌdɪz] *n.* 学科（如果是门学科，肯定要用复数）

banking [ˈbæŋkɪŋ] *n.* 银行学

city's expansion 城市扩张（这里一定要写成city's，而不是cities）

advanced [ədˈvɑːnst] *adj.* 高级的（"d"很难听出来）

detailed [ˈdiːteɪld] *adj.* 细节的（"d"很难听出来）

overseas [ˌəʊvəˈsiːz] *adj.* 海外的（必须加s）

Chapter 8

雅思听力
生存语料库

数字、字母、生存信息大全

资料更新
及补充

8.1 语料训练方法（6）

魔鬼跟读法

这是由Hallie独创的听力训练方法，主要克服的是口音问题。英语没有标准普通话，因此在实际的听说交流过程中，甚至在雅思听力考试中，我们听到的语音往往是带有一定口音的。很多人会不适应口音，进而影响理解。所谓的魔鬼跟读法就是跟读自己最不适应的语音，让自己的耳朵具有更强的"抵抗力"。这样，在考场上不会受到口音的困扰。魔鬼跟读语料是魔鬼跟读法的基础训练。

点式听力法

这也是Hallie独创的听力训练方法。在雅思考试甚至在任何一种听说交流的过程中，考生或者听众能捕捉到，并且能记住的信息有三个特点：（1）能捕捉到的往往是一些细节信息，而非完整句子；（2）带有一定的语音特点；（3）连续不断，不会因为你没听清楚而暂停。因此，需要考生在备考过程中，不使用暂停键，重点听核心语料。

联想对对碰

这是一种传统的记单词方法，被Hallie改造了一下。记单词的时候，最好是将有一定相关性的单词放在一起记忆。在听写的时候单词之间还可以对比语音差异。

教学法

点精训练是点式听力法的初级训练方法，剑桥真题的精华部分也可以作为精听训练材料。点精训练中所有材料均来自剑桥真题，重点内容是答案出现的地方，所以，算是文章中的题目精要。通过听这些精要内容的录音，做填空练习，在提高填空题准确率的同时能够为选择题打下基础。

8.2 Number 数字

在开始本部分训练之前，先听CD中的数字部分练习。然后对照"练习答案"，发现自己在数字上的训练差距。同时跟读语料，作为"魔鬼跟读法"的基础训练。

Test Paper 1

答案	魔鬼跟读基本语料文本
6212 6611	six two one two, double six double one
2324 668	two three two four, double six eight
637 33 573	six three seven, double three, five seven three
8118 0470	eight double one eight, or four seven or
2228 5579	triple two eight, double five seven nine
5879 1080	five eight seven nine, one or eight or
888 9939	triple eight, double nine three nine
8347 6511	eight three four seven, six five double one
8228 4888	eight double two eight, four triple eight
6367 812	six three six seven, eight one two
865 7765	eight six five, double seven six five
7338	seven double three eight
7901000	seven nine or, one thousand
889740	double eight nine, seven four or
3303845020456837	three three or three, eight four five or, two or four five, six eight three seven
9928 1444	double nine two eight, fourteen double four
3290787644012899	three two nine or, seven eight seven six, double four or one, two eight double nine
84635550	eight four six three, triple five or

解释说明

在雅思考试中经常出现一些特别的数字读法，请大家特别注意。

答案	魔鬼跟读基本语料文本
250,000	a quarter of a million
500,000	half a million
1,000,000	a million
15 minutes	a quarter of an hour
176	one seventy-six
7901000	（电话号码中可以读作）seven nine o one thousand（数字0读成英文字母o）
1600	sixteen hundred
0.6	point six, 或者nought (naught) point six

Test Paper 2

答案	魔鬼跟读基本语料文本
020 7222 1324	or two or, seven triple two, one three two four
68035	six eight or three five
084 5330 9876	or eight four, five double three or, nine eight seven six
020 7505 9000	or two or, seven five or five, nine thousand
084 5783 4548	or eight four, five seven eight three, four five four eight
0300 123 2350	or three hundred, one two three, two three five or
080 0405 0409	or eight or, or four or five, or four or nine
084 5000 2222	or eight four, five thousand, double two double two
0800 783 4524	or eight double or, seven eight three, four five two four
8722 004 950	eight seven double two, double or four, nine five or

Test Paper 3

答案	魔鬼跟读基本语料文本
8748 1797	eight seven four eight, one seven nine seven
6880 5008	six double eight or, five double or eight
3770 5001	three double seven or, five double or one
9339 5016	nine double three nine, five or one six
6330 5178 5006	six three three or, five one seven eight, five double or six
6440 5011	six double four or, five or double one
7050 225 015	seven or five or, double two five, or one five
7705 037	double seven or five, or three seven
6770 5049	six double seven or, five or four nine
7705 053	seven seven or five, or five three
6770 5172	six double seven or, five one seven two
65193	six five one nine three
6770 5020	six double seven or, five or two or
10016 4603	one double or one six, four six or three
6770 5256	six double seven or, five two five six
6285 1001 3495	six two eight five, one double or one, three four nine five
72968 9336	seven two nine six eight, nine double three six
6100 1654	six one double or, one six five four
5710 0163	five seven one or, or one six three
042 100 1624	or four two, one hundred, one six two four
5010 016 4796	five or one or, or one six, four seven nine six

Test Paper 4

答案	魔鬼跟读基本语料文本
541 415 3895	five four one, four one five, three eight nine five
599 100 1489	five double nine, one double or, one four eight nine
6210 015 4605	six two one or, or one five, four six or five
10016 7436	one double or one six, seven four three six
64559	six four double five nine
49802 7192	four nine eight or two, seven one nine two
969 3776	nine six nine, three double seven six
58072	five eight or seven two
164 6031	one six four, six or three one
6285 4495	six two eight five, double four nine five
7296 893 3661	seven two nine six, eight nine three, three double six one
65 457 6304	six five, four five seven, six three or four
2624 5164 7961	two six two four, five one six four, seven nine six one
6541 415 389 5599	six five four one, four one five, three eight nine, double five double nine
48962 1154 6051	four eight nine six two, double one five four, six or five one
674 366 4559	six seven four, three double six, four double five nine
6498 0100 1427	six four nine eight, or one double or, one four two seven

Test Paper 5

答案	魔鬼跟读基本语料文本
1929 6937 7661 0015 8072	one nine two nine, six nine three seven, seven double six one, double or one five, eight or seven two
645 7789	six four five, double seven eight nine
52615 6263	five two six one five, six two six three
7050 555 159	seven or five or, triple five, one five nine
6468 3473 6438 3236	six four six eight, three four seven three, six four three eight, three two three six
6468 4489 6469 8110	six four six eight, double four eight nine, six four six nine, eight double one or
6439 4176 6464 8038	six four three nine, four one seven six, six four six four, eight or three eight
6439 3005 6464 8040	six four three nine, three double or five, six four six four, eight or four or
6439 3120 6770 5196	six four three nine, three one two or, six double seven or, five one nine six
5157 5171 6439 0402	five one five seven, five one seven one, six four three nine, or four or two
5155 6469 4541 4411	five one double five, six four six nine, four five four one, double four double one
5118 6411 2255 2550	five double one eight, six four double one, double two double five, two double five or
4132 5441 1087 5255	four one three two, five double four one, one or eight seven, five two double five
4322 4611 0088 2255	four three double two, four six double one, double or double eight, double two double five

8.3 Letters & Numbers 字母和数字

在开始本部分训练之前，先听CD中的字母部分练习。然后对照"练习答案"，发现自己在字母上的训练差距。同时跟读语料，作为"魔鬼跟读法"的基础训练。

Test Paper 1

答案	魔鬼跟读基本语料文本
Groucho's	GROUCHO apostrophe S
Braddle	BRA double D LE
Keiko Yuichini	KEIKO YUICHINI
Anu Bhatt	ANU BHA double T
Cotehele	COTEHELE
Sable	SABLE
Urwin	URWIN
HWLLS	HW double L S
Northwaite	NORTHWAITE
Rogala	ROGALA
Wright	WRIGHT
Ludlow	LUDLOW
Whitworth	WHITWORTH
Cuooper	CU double O PER
Hewitt	HEWI double T
pk2@cat.com	PK two at cat dot com. Cat is the animal.
helpline@blackcat.com	helpline at black cat dot com; helpline that's one word. Black is the color. Cat is the animal.
J. Whitton	My initial* is J. and my surname is Whitton. WHI double TON.

*initial是首字母的意思。例如：

My initial is J.

My name is Jay.

这里要注意，J和Jay的读音都一样，所以要听清楚问的是首字母还是名字。

Test Paper 2

答案	魔鬼跟读基本语料文本
AL2980	AL two nine eight or
201A	two or one A
Q493Z	Q four nine three Z
PL239PU	PL twenty-three nine PU
TF274Q5	TF twenty-seven four Q five
CX192RU	CX nineteen two RU
JO6337	JO six double three seven
BG241DJ	BG twenty-four one DJ
WS62YH	WS sixty-two YH
SH121LQ	SH one twenty-one LQ

Test Paper 3

答案	魔鬼跟读基本语料文本
PO Box 64328	PO Box six four three two eight
SE1P5FD	SE one P five FD
EC1A7JA	EC one A seven JA
btp.police.uk	BTP dot police dot UK
southeasternrailway.co.uk	southeastern railway dot CO dot UK
nationalrail.co.uk	nationalrail dot CO dot UK
nbts@yahoo.com	NBTS at yahoo dot com
enquiries@travel.com	enquiries at travel dot com

8.4 Units 钱数

Test Paper

cash	cheque/check	credit card
bank transfer	post	phone
pound	pence	penny
pennies	dollar	cent
Euro	Yen	Australian dollars

★雅思考试中常用的付款方式

考生见到了pay by, 就要预测出后面的词汇。应该是

- cash 现金
- cheque=check 支票
- credit card 信用卡
- bank transfer 银行转账
- post 邮寄
- phone 电话

★雅思考试中常用的货币种类

- pound 英镑
- pence 便士（本身就是复数名词）
- penny 便士（单数名词）
- pennies 便士（penny的复数形式）
- dollar 美元
- cent 美分
- Euro 欧元（单复数形式相同）
- Yen 日元
- Australian dollars 澳元

特别笔记方法：

在听力过程中，如果按照普通方法记录钱数和时间，反应会比较慢。可以尝试用以下方法来加快速度：

（1）如果听见了seventeen pounds fifty，为了提高记录的速度，可以写成17p50，然后在抄写答案的时候，改成£17.50。

（2）如果听见了three dollars ninety-nine，为了提高记录的速度，可以写成3d99，然后在抄写答案的时候，改成$3.99。

★时间符号

如果听见了a quarter to eight，为了提高记录的速度，可以写成1t8，然后在抄写答案的时候，写成7:45。（雅思考试中最好写成7.45）

如果听见了three quarters past six，为了提高记录的速度，可以写成3p6，然后在抄写答案的时候，写成6:45。（雅思考试中最好写成6.45）

如果听见了a quarter past ten，为了提高记录的速度，可以写成1p10，然后在抄写答案的时候，写成10:15。（雅思考试中最好写成10.15）

8.5 Addresses 地址

注意！若真听不到地址前面的数字结尾是-teen还是-ty，以-teen结尾的概率大些。例如，16、17、18比60、70、80正确的概率要大。

常见词汇听写

答案	魔鬼跟读基本语料文本
Street	[striːt]
Avenue	['ævənjuː]
Road	[rəʊd]
Lane	[leɪn]
Drive	[draɪv]
University Drive	University Drive 大学的车道
Square	[skweə(r)]
House	[haʊs]
District	['dɪstrɪkt]

Test Paper 1

答案	魔鬼跟读基本语料文本
17 Upland Road	seventeen Upland Road
74 North Road	seventy-four North Road
No.16 Bridge Road	No. sixteen Bridge Road
NO.18 Kays Street	No. eighteen Kays Street, KAYS
Church Road	Church Road
14 Hill Road	fourteen Hill Road
Park Street	Park Street
Green Street	Green Street
21A Eagle Road	twenty-one A Eagle Road
London E11	London E eleven
15 Station Avenue	fifteen Station Avenue
Bank House	Bank House
Gold Street	Gold Street
59 Franklyn Avenue	fifty-nine Franklyn Avenue, FRANKLYN
84 Park Road	eighty-four Park Road
11 Lake Avenue	eleven Lake Avenue
48 North Avenue	forty-eight North Avenue
27 Bank Road	twenty-seven Bank Road
6 Devon Road	six Devon Road DEVON
32 Bank Street	thirty-two Bank Street
Park Square	Park Square
Blossom Street	Blossom Street
Broad Lane	Broad Lane
Earl Street	Earl Street
Fort Street	Fort Street
Victoria Avenue	Victoria Avenue
Circus Palace	Circus Palace
Liverpool Street	Liverpool Street

雅思王听力真题语料库

Test Paper 2

答案	魔鬼跟读基本语料文本
Appold Street	Appold Street APPOLD
Artillery Lane	Artillery Lane ARTILLERY
Artisan Street	Artisan Street ARTISAN
Austin Friars Square	Austin Friars Square AUSTIN FRIARS
Blomfield Street	Blomfield Street BLOMFIELD
Brushfield Avenue	Brushfield Avenue BRUSHFIELD
Bury Street	Bury Street BURY
Chamomile Street	Chamomile Street CHAMOMILE
Christopher Lane	Christopher Lane CHRISTOPHER
Clifton Square	Clifton Square CLIFTON
Cutler Street	Cutler Street CUTLER
Devonshire Square	Devonshire Square DEVONSHIRE
Drapers Gardens	Drapers Gardens DRAPERS
Eldon Street	Eldon Street ELDON
Finsbury Avenue	Finsbury Avenue FINSBURY
Goring Street	Goring Street GORING
Great Winchester Street	Great Winchester Street GREAT WINCHESTER
Lackington Street	Lackington Street LACKINGTON
Middelsex Street	Middelsex Street MIDDELSEX
New Street	New Street NEW
Outwich Street	Outwich Street OUTWICH
Pindar Street	Pindar Street PINDAR

Snowden Street	Snowden Street SNOWDEN
Spital Hospital	Spital Hospital SPITAL
Stoney Lane	Stoney Lane STONEY
Throgmorton Avenue	Throgmorton Avenue THROGMORTON
6 Middle Street	6 Middle Street MIDDLE

Test Paper 3

常见地名如下:

答案	魔鬼跟读基本语料文本
Berlin	[bɜː'lɪm]
Melbourne	['melbən]
Sydney	['sɪdnɪ]
Birmingham	['bɜːmɪŋˌhæm]
Perth	[pɜːθ]
London	['lʌndən]

8.6 Dates 日期

雅思听力考试中经常出现日期的信息，请大家要特别注意。

日期的常见三种读法：

（1）the twenty second of April

（2）April the twenty second

（3）Twenty-two the fourth（雅思里特有读法）

无论考生听到的上面的哪一种，都可以写成：

22 April 或April 22，22nd April或April 22nd，22nd April或April 22nd。

如果后面出现了年代，必须在前面加一个逗号。

例如 22 April，1988

其余的写法也是相同的。

很多同学怀疑th, nd这样的角标会给分吗？请参考《剑8》的答案。肯定给分的。

Test Paper 1

答案	魔鬼跟读基本语料文本
January	['dʒænjʊərɪ]
February	['febrʊərɪ]
March	[mɑːtʃ]
April	['eɪprəl]
May	[meɪ]
June	[dʒuːn]
July	[dʒʊ'laɪ]
August	['ɔːgəst]
September	[sep'tembə(r)]
October	[ɒk'təʊbə(r)]
November	[nəʊ'vembə(r)]
December	[dɪ'sembə(r)]
Monday	['mʌndeɪ]

Tuesday	['tjuːzdeɪ]
Wednesday	['wenzdeɪ]
Thursday	['θɜːzdeɪ]
Friday	['fraɪdeɪ]
Saturday	['sætədeɪ]
Sunday	['sʌndeɪ]

Test Paper 2

答案	魔鬼跟读基本语料文本
1 June	June the first
13 January, 1973	January the thirteenth, nineteen seventy-three
7 July	the seventh of July
23 April	April the twenty-third
27 March, 1972	March the twenty-seventh, nineteen seventy two
12 June	the twelfth of June
23 March	March the twenty-third

Test Paper 3

答案	魔鬼跟读基本语料文本
1 August	the first of August
28 June, 1957	the twenty-eighth of June, nineteen fifty seven
14 November	November the fourteenth
23 January	January the twenty-third
15 March, 1980	fifteen the third, nineteen eighty
5 November	the fifth of November
10 February	the tenth of February
1st	first
11th	eleventh
21st	twenty-first
31st	thirty-first
2nd	second
12th	twelfth
22nd	twenty-second
3rd	third
13th	thirteenth
23rd	twenty-third

考生在写时，要保证能写对。

8.7 Major 专业

Test Paper

anthropology [ˌænθrəˈpɒlədʒɪ] n. 人类学	archaeology [ˌɑːkɪˈɒlədʒɪ] n. 考古学
astrology [əˈstrɒlədʒɪ] n. 占星术	astronomy [əˈstrɒnəmɪ] n. 天文学
applied science 应用科学	general science 大众科学
biology [baɪˈɒlədʒɪ] n. 生物学	microbiology [ˌmaɪkrəʊbaɪˈɒlədʒɪ] n. 微生物学
environmental science 环境科学	life science 生命科学
economics [ˌiːkəˈnɒmɪks] n. 经济学	economic history 经济学史
psychology [saɪˈkɒlədʒɪ] n. 心理学	psychological course 心理课
time management 时间管理课	money management 理财课
literature [ˈlɪtrətʃə(r)] n. 文学	School of Arts and Sciences 文理学院
computers [kəmˈpjuːtə(r)z] n. 计算机课	philosophy [fəˈlɒsəfɪ] n. 哲学

survival course 生存课程	stress management 压力管理课
sociology [ˌsəʊsɪˈɒlədʒɪ] n. 社会学	physiology [ˌfɪzɪˈɒlədʒɪ] n. 生理学
planet science 行星科学	medical science 医学
geography [dʒɪˈɒgrəfɪ] n. 地理	chemistry [ˈkemɪstrɪ] n. 化学
law [lɔː] n. 法学，法律	photojournalism [ˌfəʊtəʊˈdʒɜːnəlɪzəm] n. 摄影新闻学
linguistics [lɪŋˈgwɪstɪks] n. 语言学	psycholinguistics [ˌsaɪkəʊlɪŋˈgwɪstɪks] n. 心理语言学
politics [ˈpɒlətɪks] n. 政治	history [ˈhɪstrɪ] n. 历史
physical education 体育课	PE 体育课
mathematics [ˌmæθəˈmætɪks] n. 数学	finance [ˈfaɪnæns] n. 金融学
mass media 大众传媒（专业名称）	statistics [stəˈtɪstɪks] n. 统计学
mining [ˈmaɪnɪŋ] n. 采矿	engineering [ˌendʒɪˈnɪərɪŋ] n. 工程学
architecture [ˈɑːkɪtektʃə(r)] n. 建筑学	fine arts 美术

Chapter 9

雅思听力
动词语料库

动词、时态、动作指向训练

资料更新
及补充

9.1 语料训练方法 (7)

动词

考生在做题之前，先要利用听指南的时间对答案的内容进行预判，然后有针对性地辨别录音中的信息。

熟悉词性，对于考生捕捉正确答案有很大帮助。

横向测试

这是Hallie独创的听力训练方法。在语料测试表里，横向语料往往在形态、语义、语音等很多方面有相似之处。考生可以方便记忆，同时可以辨别语料间的差异。横向测试中，语料的朗读主要以英音为主。

纵向测试

这也是Hallie独创的听力训练方法。在语料测试表里，纵向语料在形态、语义、语音等很多方面存在较大差异。考生可以在"无提示"状态下通过语音单独测试自己对语料的掌握水平。纵向测试中，语料的朗读以澳音和印度音为主。

9.2 特别动词

Test Paper

语料测试表			
abbreviate [ə'briːvɪeɪt] 缩写	abuse [ə'bjuːs] 虐待	administrate [əd'mɪnɪstreɪt] 管理，支配	adopt [ə'dɒpt] 收养
advertise ['ædvətaɪz] 做广告	affect [ə'fekt] 影响	attempt [ə'tempt] 努力	ban [bæn] 禁止
beat [biːt] 跳动	book [bʊk] 预订	break [breɪk] 休息；破，碎	breed [briːd] 喂养
cater ['keɪtə(r)] 迎合	cheers [tʃɪəz] 干杯	cite [saɪt] 引证；表扬	complete [kəm'pliːt] 完成
conquer ['kɒŋkə(r)] 征服	construct [kən'strʌkt] 建筑	contain [kən'tem] 包含	contaminate [kən'tæmɪneɪt] 污染
convince [kən'vɪns] 说服	cook [kʊk] 做饭	counsel ['kaʊnsl] 商议	cover ['kʌvə(r)] 包括
decide [dɪ'saɪd] 决定	dedicate ['dedɪkeɪt] 奉献	deliver [dɪ'lɪvə(r)] 送货	depend [dɪ'pend] 依靠
deteriorate [dɪ'tɪərɪəreɪt] 恶化	dial ['daɪəl] 拨号	dictate [dɪk'teɪt] 听写	discuss [dɪ'skʌs] 讨论
donate [dəʊ'neɪt] 捐赠	doze [dəʊz] 小睡，打盹儿	employ [ɪm'plɔɪ] 雇佣	enhance [ɪn'hɑːns] 提高

exaggerate	exercise	exist	expand
[ɪgˈzædʒəreɪt]	[ˈeksəsaɪz]	[ɪgˈzɪst]	[ɪkˈspænd]
夸张	练习	存在	扩充
experience	export	filter	fire
[ɪkˈspɪərɪəns]	[ɪkˈspɔːt]	[ˈfɪltə(r)]	[ˈfaɪə(r)]
经验；体验	出口	过滤	解雇
focus	foster	ignore	import
[ˈfəʊkəs]	[ˈfɒstə(r)]	[ɪgˈnɔː(r)]	[ɪmˈpɔːt]
集中，聚焦	培养	忽视	进口
improve	instruct	interview	invest
[ɪmˈpruːv]	[ɪnˈstrʌkt]	[ˈɪntəvjuː]	[ɪnˈvest]
提高	提示	采访	投资
irrigate	lack	leak	lend
[ˈɪrɪgeɪt]	[læk]	[liːk]	[lend]
灌溉	缺乏	泄露	借出某物
lessen	maintain	meet	memorise
[ˈlesn]	[meɪnˈteɪn]	[miːt]	[ˈmeməraɪz]
减轻	维修	见面；遇到	记住
mill	monitor	narrate	observe
[mɪl]	[ˈmɒnɪtə(r)]	[nəˈreɪt]	[əbˈzɜːv]
碾磨，磨细	监视	讲述，描写	观察
offer	overcome	overstate	park
[ˈɒfə(r)]	[ˌəʊvəˈkʌm]	[ˌəʊvəˈsteɪt]	[pɑːk]
提供	克服	夸大	停车
pay	plant	polish	prepare
[peɪ]	[plɑːnt]	[ˈpɒlɪʃ]	[prɪˈpeə(r)]
付款	种植	抛光，擦亮	准备
prescribe	recall	refund	register
[prɪˈskraɪb]	[rɪˈkɔːl]	[rɪˈfʌnd]	[ˈredʒɪstə(r)]
开药方	回忆	退还，退款	注册

reinvest [ˌriːɪnˈvest] 重新投资	relax [rɪˈlæks] 放松	relieve [rɪˈliːv] 减轻	repair [rɪˈpeə(r)] 修理
repeat [rɪˈpiːt] 重复	reserve [rɪˈzɜːv] 预定	resit [ˌriːˈsɪt] 重考	revise [rɪˈvaɪz] 修改
roll [rəʊl] 使滚动，滚动	rush [rʌʃ] 赶快	season [ˈsiːzn] 风干	shear [ʃɪə(r)] 剪（羊毛）
shift [ʃɪft] 倒班	smoke [sməʊk] 吸烟	solve [sɒlv] 解决，解答	stare [steə(r)] 盯视
steal [stiːl] 偷，窃取	study [ˈstʌdɪ] 学习	summarize [ˈsʌməraɪz] 总结	supervise [ˈsuːpəvaɪz] 监督
supply [səˈplaɪ] 提供	support [səˈpɔːt] 支持	test [test] 测试	touch [tʌtʃ] 触摸
train [treɪn] 培训	transfer [trænsˈfɜː(r)] 转换，转移	transport [ˈtrænspɔːt] 运送	treat [triːt] 治疗
understand [ˌʌndəˈstænd] 理解	unite [jʊˈnaɪt] 联合	update [ˌʌpˈdeɪt] 更新	vary [ˈveərɪ] 变化
wear [weə(r)] 穿着			

Chapter 10

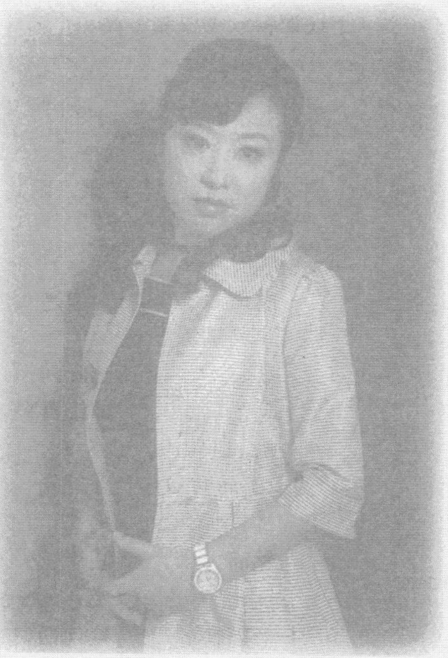

雅思听力流动性语料库

连接、提示、无需拼写

资料更新及补充

IELTS

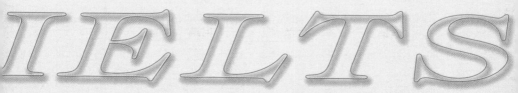

下述语料只需要能听懂，不需要拼写。这些语料往往具有提示效果。

actually 实际上；确实	after that 然后	also 也	although 尽管；但是
and then 于是，然后	as a result 结果，因此	at the moment 此刻，现在，目前	basically 基本上
besides 而且	but 但是	certainly 无疑地，确定地	compared with 与……作比较
despite 尽管	details 详细资料	especially 尤其是	even 甚至
eventually 终于，最后	first of all 首先	for example 例如	for instance 例如
however 然而	I'd like to 我想……	in a word 总而言之	in addition 另外
in general 一般而言	in other words 换句话说	in that case 如果是那样的话	in the second place 其次
instead 代替	last but not least 最后但不是最不重要的（一点）	like 好像	mainly 主要是
meanwhile 同时	namely 也就是	obviously 明显地	of course 当然
overall 总体的	particularly 尤其是	priority 优先	rather 宁可
should not do this without 没有……不应该做……	such as 例如	that is to say 换句话说	what's more 另外
whereas 但是	while 虽然	yet 但是	

Chapter 11

《剑10》
专用测试

《剑10》、最新、难词特别训练

资料更新
及补充

11.1 Section 1

1. 名词、动词、形容词语料训练

□ caravan	['kærəvæn]	*n.* 旅行房车
□ navigation	[ˌnævɪ'geɪʃn]	*n.* 导航
□ demonstration	[ˌdemən'streɪʃn]	*n.* 演示
□ candles	['kændls]	*n.* 蜡烛
□ canteen	[kæn'tiːn]	*n.* 食堂
□ intermediate	[ˌɪntə'miːdɪət]	*adj.* 中级的
□ vegetarian	[ˌvedʒə'teərɪən]	*n.* 素食主义者
□ campsite	['kæmpsaɪt]	*n.* 野营点
□ helicopter	['helɪkɒptə(r)]	*n.* 直升机
□ donations	[dəʊ'neɪʃnz]	*n.* 捐赠
□ moonlight	['muːnlaɪt]	*n.* 月光
□ mid-range	['mɪdreɪndʒ]	*adj.* 中等距离的
□ warehouse	['weəhaʊs]	*n.* 仓库
□ double-grill	['dʌblɡrɪl]	*n.* 双层烤架
□ researcher	[rɪ's3ːtʃə(r)]	*n.* 研究员
□ website	['websaɪt]	*n.* 网站
□ charge	[tʃɑːdʒ]	*v./n.* 充电/冲锋/费用
□ access	['ækses]	*n.* 使用
□ bills	[bɪls]	*n.* 账单
□ waitress	['weɪtrəs]	*n.* 女服务生
□ excursion	[ɪk'sk3ːʃn]	*n.* 远足
□ duration	[djʊ'reɪʃn]	*n.* 持续
□ elevator	['elɪveɪtə(r)]	*n.* 电梯
□ postage	['pəʊstɪdʒ]	*n.* 邮费
□ signature	['sɪgnətʃə(r)]	*n.* 签字
□ liberty	['lɪbətɪ]	*n.* 自由
□ adventure	[əd'ventʃə(r)]	*n.* 冒险
□ automatic	[ˌɔːtə'mætɪk]	*adj.* 自动的
□ painkillers	['peɪnkɪlə(r)z]	*n.* 止痛药
□ sailing	['seɪlɪŋ]	*n.* 远航

□ keyboard	['kiːbɔːd]	n.	键盘
□ voucher	['vaʊtʃə(r)]	n.	代金券
□ transit	['trænzɪt]	n.	运输
□ enjoyable	[ɪn'dʒɔɪəbl]	adj.	令人愉快的
□ snowboarding	['snəʊbɔːdɪŋ]	n.	滑雪（雪板）
□ landscape	['lændskeɪp]	n.	风景
□ helmet	['helmɪt]	n.	头盔
□ mask	[mɑːsk]	n.	面具
□ moderate	['mɒdərət]	adj.	温和的
□ ladder	['lædə(r)]	n.	梯子
□ concentration	[ˌkɒnsn'treɪʃn]	n.	注意力
□ categories	['kætəgəriz]	n.	分类
□ variable	['veərɪəbl]	adj.	变化的
□ sauna	['sɔːnə]	n.	桑拿
□ child-minding	['tʃaɪldmaɪndɪŋ]	n.	育儿

2. 连读吞音语料训练

date of birth	生日	internet café	网吧
type of insurance	保险类型	fish tank	鱼缸
snow boarding	滑雪板	membership limitation	会员限制
planning meeting	计划会	drama workshop	戏剧社
outdoor activities	户外活动	group deposit	团体押金
joining fee	加盟费	dance classes	舞蹈班
leisure centre	休闲中心	round tables	圆桌
bunch of flowers	花束	total deposit	整体押金
delivery fee	快递费用	special items	特别项目
high seasons	旺季	country living	乡村生活
peaceful environment	平和的环境	eating out	外出就餐
existing skills	现有技能	house agent	房屋中介
investment schemes	投资计划	branch manager	部门经理

house insurance	房屋保险	side entrance	侧门
client engineer	客户维护工程师	post office	邮局
horse riding	骑马	office furniture	办公家具
hot chocolate	热巧克力	advanced lessons	高级课程
warm clothing	保暖服	free entry	免门票
toy factory	玩具厂	large slide	大滑梯
petrol station	加油站	evening appointment	晚间约会(商务/正式)
employment medical certificate	就业医疗证明	regular check	例行检查
sports injury	运动伤害	heart disease	心脏病
space museum	太空博物馆	sun cream	防晒霜
personal attention	个人注意力	paddling pool	嬉水池
central heating	中央供暖	bank statement	银行账单
book reservation	典藏	daytime temperature	日间温度
cable car	缆车	outdoor swimming pool	露天泳池
baseball coach	棒球教练	coral reef	珊瑚礁
rock pool	潮汐潭	maintenance of gardens	维护花园
town hall	市政大厅	good value	有价值
ice pack	冰袋	alarm system	警报系统
order section	订单管理部	walking boots	登山靴
advanced level	高级	book keeper	记账员
washing staff	裁员/洗衣工	home welcome	宾至如归
evening meals	晚餐	health service	健康服务
old-fashioned exterior	过时的外表	limited parking	停车限制
name cards	名片	service manager	服务部经理
private company	私人企业	silver package	银色包裹

joining fees	加盟费	family photo	家庭照片
energy saving	节能	central heating	中央供暖
driving licence/license	驾照	job title	职位名称
type of magazine	杂志体裁	starting salary	起薪
calling diversion	呼叫转移	renew passport	更新护照
current address	当前住址	flower shop	花店
nursery supervisor	幼儿园管理员	gold stars	金星
film festival	电影节	special requirement	特殊需求
back row	后排	dark trousers	深色裤子
furniture designers	家具设计师	monthly rent	月租金
preferred occupation	首选职业	previous major	原专业
previous working experience	先前工作经验	decoration balloons	装饰气球
vegetable burger	蔬菜汉堡包	safety regulations	安全守则
return tickets	回程票	error message	错误信息
customer service officer	客服经理	garden room	花房
round tables	圆桌	bunch of flowers	花束
side gate	侧门	sleeping bag	睡袋
isolated spot	隔离点	washing machine	洗衣机
car number	车牌号	group trip	团队出游
self drive	自驾	non-smoking room	禁烟室
culture centre	文化中心	dreamtime under stars	夜晚畅想
modern authors	现代作家	long stick	长棍子
membership limitation	会员资格限制	free parking	免费停车
weekly return	周回报	extra room	额外房间
bank transfer	银行转账	short time	短时间

required date	规定时间	accommodation type	住宿类型
bills and meals	账单和餐	sports centre	运动中心
road runners	哔哔鸟	job requirement	工作需要
current occupation	当前工作	length of stay	逗留时间
type of accommodation	住宿类型	eating out	出去吃饭
spring park	公园名称	starting date	起始日期
reference number	参考号码	estimated value	估价
family use	家用	safety check	安全检查
preferred equipment	偏爱的装备	flight service	空中服务
fish tank	鱼缸	off-peak time	非高峰时间
maximum price	最高价格	helicopter trip	直升机游览
membership number	会员号码	organic food	有机食物
sports equipment	体育装备	poor quality	低质量
fresh products	新鲜产品	organic farming	有机农业
cycling route	骑行路线	language skill	语言技能
group discount	团购优惠	night flight	夜航
white mountain	白雪覆盖的山	dust bag	垃圾袋
golf court	高尔夫球场	space museum	太空博物馆
rock climbing	攀岩	baseball coach	棒球教练
friendly faces	和善的面孔	no nuts	不要坚果
grocery stores	杂货铺	egg cartons	装蛋盒
juice bottles	果汁瓶	electricity supply	电力供应
protection policy	保护政策	group booking discount	团购优惠
sick pay	病假工资	van driver	厢式货车司机
leather shoes	皮鞋	advertising company	广告公司
toy factory	玩具工厂	large slide	大滑梯

11.2　Section 2

1. 名词、动词、形容词语料训练

□ canoe	[kə'nuː]	n.	独木舟
□ donation	[dəʊ'neɪʃn]	n.	捐赠
□ labels	['leɪbls]	n.	标签
□ luxury	['lʌkʃərɪ]	n.	奢华
□ lock-up	[lɒkʌp]	adj.	带锁的
□ warehouse	['weəhaʊs]	n.	仓库
□ ferries	['ferɪs]	n.	轮渡
□ comfortable	['kʌmftəbl]	n.	舒适的
□ preservation	[ˌprezə'veɪʃn]	n.	保留
□ authority	[ɔː'θɒrətɪ]	n.	权威
□ flamingo	[flə'mɪŋgəʊ]	n.	火烈鸟
□ trails	[treɪls]	n.	踪迹
□ poster	['pəʊstə(r)]	n.	海报
□ altitude	['æltɪtjuːd]	n.	高度
□ vegetation	[ˌvedʒə'teɪʃn]	n.	植被
□ calligraphy	[kə'lɪgrəfɪ]	n.	书法
□ caravan	['kærəvæn]	n.	商队
□ layout	['leɪaʊt]	n.	布局
□ format	['fɔːmæt]	n.	格式
□ flooding	[flʌdɪŋ]	n.	泛滥
□ rural	['rʊərəl]	adj.	乡下的
□ hard-working	[hɑːd'wɜːkɪŋ]	adj.	刻苦的
□ torch	[tɔːtʃ]	n.	火炬
□ sack	[sæk]	v./n.	解雇/麻袋
□ souvenirs	[suːvə'nɪəz]	n.	纪念品
□ funnel	[fʌnl]	n.	漏斗
□ rendezvous	['rɒndɪvuː]	n.	约定地点
□ vetting	[vetɪŋ]	n.	审核
□ acknowledgement	[ək'nɒlɪdʒmənt]	n.	鸣谢
□ wildlife	['waɪldlaɪf]	n.	野生动物

□ hostel	['hɒstl]	n. 旅店
□ water-ride	['wɔːtəraɪd]	n. 激流勇进
□ waterproof	['wɔːtəpruːf]	adj. 防水的
□ rollercoaster	['rəʊlə(r)'kəʊstə(r)]	n. 过山车
□ resort	[rɪ'zɔːt]	n. 胜地
□ anniversary	[ˌænɪ'vɜːsəri]	n. 周年
□ committee	[kə'mɪtɪ]	n. 委员会
□ off-peak	['ɒf'piːk]	adj. 非高峰的
□ towel	['taʊəl]	n. 毛巾
□ all-in	['ɔːlɪn]	adj. 包括一切的
□ hovercraft	['hɒvəkrɑːft]	n. 气垫船
□ roadworthy	['rəʊdwɜːðɪ]	adj. 适合上路的
□ overfill	['əʊvə(r)fɪl]	v. 填满

2. 连读吞音语料训练

solar pump	太阳能泵	urban garden	城市公园
visitor centre	访客中心	special feature	特点
unaccompanied children	无人陪伴儿童	under-age children	未适龄儿童
racing car	赛车	comment card	意见卡
booking form	预订表格	cabin keys	客舱钥匙
room services	客房服务	after formality	寒暄后
music video	音乐视频	camera man	摄像师
stress levels	压力水平	traffic noise	交通噪声
sculpture garden	雕塑花园	oil painting	油画
quarantine service	检疫服务	postal items	邮政物件
plant seeds	植物种子	lookout points	观景台
live music	现场音乐	meeting point	碰头地点
craft fair	手工艺品集市	fringe stage	额外展台

exhibitor entrance	展览者入口	arm badge	袖标，手环
academic record	学术记录	class representative	班级代表
local artists	当地艺术家	river taxi	摆渡船
traffic jam	堵车	traffic lights	交通灯
calling fee	电话费	computer breakdown	电脑死机
express trains	高速列车	high winds	疾风
self-cafeteria	自助餐厅	local hero	当地的英雄
European painting	欧洲画作	learning zone	学习区
historical photograph	历史摄影	cinema zone	电影区
coffee shop	咖啡店	garden tools	园艺工具
garden pots	洒水壶	tap water	自来水
professional knowledge	专业知识	special buses	特殊巴士
education facilities	教育设施	order form	预订表格
check number	核对数目	signed delivery note	签署过的交货通知
unappealing appearance	无吸引力的外表	black swans	黑天鹅
historical exhibition	历史展览	hot meal	热食
head office	总部	music room	音乐室
classroom tour	参观教室	tea and coffee	茶和咖啡
chess club	象棋俱乐部	monthly magazines	月刊
animal life	动物生活	social event	社交活动
annual report	年度报告	spare socks	备用袜子
total block	防晒霜	local museum	当地博物馆
secondary project	次要项目	late afternoon	傍晚
back entrance	后门	storage space	储物空间
emergency button	紧急按钮	hot spring	温泉
disabled people	残疾人	specific period	特定时期

minimum period	最小周期	health check	健康检查
sports equipment	体育装备	town hall	市政大厅
baby kangaroo	小袋鼠	part-time job	业余工作
business courses	商科课程	senior staff	高级员工
traffic jam	堵车	English channel	英吉利海峡
tropical zone	热带地区	tower view	高塔视野
elephant zone	大象区域	travel centre	旅游信息中心
travel package	旅行行李	budget trip	预订旅行
long vacation	长假期	supportive atmosphere	声援气氛
store room	储藏室	coffee machine	咖啡机
front desk	前台	seating area	休息区
local residents	当地居民	board games	桌游
massage room	按摩室	equal length	同样长度
training course	训练课程	tutorial fee	辅导费用
administration officer	管理员	security officer	安保人员
fire drill	火灾演练	card making	卡片制作
interior design	内部设计	water colour painting	水彩画
venue change	地点转移	minimum age	最小年龄
regional competition	地区竞赛	special price	特殊价格
racing car	赛车	mixed age	混合年龄
government fund	政府资金	comment card	意见卡
cabin keys	船舱钥匙	local community	当地居民
control room	控制室	waiting room	等候室
cup cleaning	杯子清理	animal protection	动物保护
reset button	重置按钮	experience skills	经验技能
contact number	联系电话	art museum	艺术博物馆
oil painting	油画	stunning view	优美风景

street art	街头艺术	horseback riding	骑马
tent accommodation	帐篷住宿	wild animals	野生动物
stress level	压力水平	fancy dress	炫酷的衣服
family ticket	家庭套票	concert room	小音乐厅
weather observing	天气观察	free transportation	免费交通
fitness centre	健身中心	thick trousers	厚裤子
shuttle bus	班车	virtual volunteer	网络志愿者
garden tools	园丁工具	feed animals	喂动物
cake factory	蛋糕厂	smoke alarm	烟雾警报
lookout point	观景台	face painting	脸谱
learning zone	学习区	member restaurant	会员餐厅
gallery shop	画廊	food containers	食物容器
good shoes	好鞋	formal clothes	正装
dance show	舞蹈表演	delivery note	交付单
horseback riding	骑马	mountain climbing	爬山
tented accommodation	帐篷住宿	local heroes	当地英雄
coach trip	训练旅程	bush fire	丛林火灾
attraction zone	景区	handle animals	驯养动物
good washing facilities	高效清洗设备	trial test	模拟测试
provisional license	临时证件	practical theory	实际理论
pretzel factory	饼干厂	train ride	火车之旅
prepare refreshments	准备点心	weather forecast	天气预报
hot balloon	热气球	family-fast-line track ticket	家庭快线票
fast line ticket	快速通道票	cowboy show ride	牛仔之旅
herbal treatment	草药治疗	skating rink	溜冰场
one-to-one coach	一对一教练	introductory price	入门价格

gym room	健身房	heart monitor	心脏监视器
free massage	免费按摩	water bottle	水瓶
beach front view	沙滩前景	bright fabric	明亮织物
well-known singer	知名歌手	bottle collection	瓶子收集
ink cartridge	打印机墨盒	picnic area	野餐区
meal ticket	餐券	fuel consumption	燃料消耗
oil filter	油滤器	global travel	全球旅行
loss of instruments	仪器损失	steer the boat	掌船舵
marine animals	海洋动物	marine history	海洋史
meadow campsite	牧场野营地	caravan park	商队公园
green lounge	绿色躺椅	cash point	ATM机
unregistered taxi	黑车	plastic bag	塑料袋

11.3 Section 3

1. 名词、动词、形容词语料训练

□rangers	['reɪndʒə(r)z]	n.	护林员
□measurement	['meʒəmənt]	n.	度量
□voluntary	['vɒləntrɪ]	adj.	志愿的
□darkroom	['dɑːkruːm]	n.	暗室
□reflective	[rɪ'flektɪv]	adj.	反馈的
□portfolio	[pɔːt'fəʊlɪəʊ]	n.	资料
□fireplaces	['faɪəpleɪsɪz]	n.	壁炉
□priority	[praɪ'ɒrətɪ]	n.	优先
□verbalisation	['vɜːbəlaɪˌzeɪʃn]	n.	冗长
□nest	[nest]	n.	巢穴
□evaporation	[ɪˌvæpə'reɪʃn]	n.	蒸发
□hive	[haɪv]	n.	蜂房
□conservation	[ˌkɒnsə'veɪʃn]	n.	保护
□networkers	[net'wɜːkə(r)z]	n.	网络人员
□ecosystem	['iːkəʊsɪstəm]	n.	生态系统
□flexibility	[ˌfleksə'bɪlətɪ]	n.	灵活性
□forestry	['fɒrɪstrɪ]	n.	林业
□literature	['lɪtrətʃə(r)]	n.	文学
□regulator	['regjʊleɪtə(r)]	n.	校准器
□hammer	['hæmə(r)]	n.	锤子
□incubator	['ɪŋkjʊbeɪtə(r)]	n.	孵化器
□workforce	['wɜːkfɔːs]	n.	工作力
□attachment	[ə'tætʃmənt]	n.	附件
□stable	['steɪbl]	adj./n.	稳定的/马圈
□journal	['dʒɜːnl]	n.	杂志
□confidence	['kɒnfɪdəns]	n.	信心
□craftwork	['krɑːftwɜːk]	n.	工艺品
□publication	[ˌpʌblɪ'keɪʃn]	n.	出版物
□internship	['ɪntɜːnʃɪp]	n.	实习
□workload	['wɜːkləʊd]	n.	工作量

☐ appendices	[ə'pendɪsiːz]	*n.* 附件	
☐ parliament	['pɑːləmənt]	*n.* 议院	
☐ recreational	[ˌrekrɪ'eɪʃənl]	*adj.* 休闲的	
☐ windmill	['wɪndmɪl]	*n.* 风车磨坊	
☐ mating	['meɪtɪŋ]	*n.* 交配	
☐ fabric	['fæbrɪk]	*n.* 织物	
☐ cardiovascular	[ˌkɑːdiəʊ'vɑːskjələ(r)]	*adj.* 心血管的	
☐ feasibility	[ˌfiːzə'bɪləti]	*n.* 可行性	
☐ evaluation	[ɪˌvæljʊ'eɪʃn]	*n.* 预估	
☐ collaborative	[kə'læbərətɪv]	*adj.* 合作的	
☐ simulation	[ˌsɪmjʊ'leɪʃn]	*n.* 模拟	
☐ coverage-lettering	['kʌvərɪdʒ'letərɪŋ]	*n.* 新闻报道字体	
☐ precision	[prɪ'sɪʒn]	*n.* 精密度	
☐ originality	[əˌrɪdʒə'næləti]	*n.* 创意	
☐ objective	[əb'dʒektɪv]	*adj.* 客观的	
☐ nutrition	[njʊ'trɪʃn]	*n.* 营养	
☐ pesticide	['pestɪsaɪd]	*n.* 杀虫剂	

2. 连读吞音语料训练

group discussion marks	小组讨论分数	middle term test	期中考试
data analysis	数据分析	photo statistics	照片统计
extra time	额外时间	communication system	通信系统
personal interest	个人兴趣	secretary of department	部门秘书
computer office	电脑办公室	past course materials	之前课程材料
international reputation	国际声誉	history research	历史调查
conference report	会议报告	ground plan	团队计划
local community	当地小区	social interactions	社会联系
chat rooms	聊天室	computer skills	电脑技能
global access	全球可用	teaching staff	教职人员

global listening	宏观听力	eye contacts	眼神交流
card catalog (catalogue)	卡片目录	lack of soil	缺土
food pest	食物害虫	environmental damage	环境危害
food chain	食物链	fill in worksheet	填工作单
model guide	模范导游	video camera	摄像机
measuring equipment	测量设备	natural ability	自然能力
good effort	努力	leadership skill	领导力
accessible discussion	可参加的讨论	braking system	刹车系统
environmental issues	环境问题	management of change	改变管理
financial aids	经济援助	working style	工作类型
late submission	延迟提交	lack of research	缺乏调查
farming method	耕种方式	knowledge sharing	知识共享
uniform level	同一水平	seating capacity	载客数
picture framing	构图	packing materials	包装材料
story conference	故事会议	stage production	舞台布置
planning meeting	计划会议	videotape editor	视频编辑
population movement	人口流动	interview method	面试方法
exam preparation	备考	weaker students	差生
external organisation	外部组织	word limit	字数限制
internet connections	网络连接	professional learning	专业学习
in-class simulation	课内模拟	video recording	视频录制
plastic bottle	塑料瓶	residence hall	学生宿舍
life science	生命科学	financial planning	金融计划
medical skills	医术	customer relationship	顾客关系
department head	部门主管	interview questions	面试问题
identity card	识别卡	dress code	着装要求
preserve memories	保存记忆	show off status	炫耀地位

reflect tastes	体现品位	personal identity	个人验证
local community	当地社区	storage warehouse	仓库
social information	社会信息	creative ideas	创造性想法
living expenses	生活花费	survey methods	调查方式
flour outlet	面粉出口	permanent records	永久记录
optional course	选修课	drinking machines	饮料机
cash machine	验钞机	laundry service	洗衣服务
photocopy office	影印室	self-access lab	自主实验室
electronic directory	电子目录	text structure	文章结构
digital history	数码史	media studies	媒体学习
natural resources	自然资源	environmental projects	环境项目
global access	全球通用	listening task	听力任务
book loan	借书	compulsory course	必修课
full-time study	全职学习	flexible-time study	兼职学习
active volcano	活火山	extinct volcano	死火山
cleaning products	清理产品	placement test	分班测试
company premises	公司地址	leisure activities	休闲活动
senior advisor	高级顾问	visual aids	视觉辅助教具
fossil remains	残存化石	human interference	人为干扰
natural routine work	日常工作	coffee bar	咖啡吧
shop display	商品展示	personal service	个人服务
current study	当前研究	video approach	录像研究方法
job opportunities	工作机会	higher fees	更高价格
borrowed language	外来语	confidence building	建立自信
numeracy skill	计算能力	networking opportunities	网络机遇
research method	调查方式	audio recording	音频录制

lack of participation	缺乏参与	community reference	社区推荐信
council meeting	议会会议	renewable energy	再生资源
nuclear plants	核电站	traditional resource	传统资源
small electric equipment	小电子设备	solar panel	太阳能仪表
sports shoes	运动鞋	poor paying	报酬低的
overseas training	海外训练	no chemical reaction	无化学反应
current material	现有材料	brief notes	简要记录
supportive atmosphere	互助气氛	essential training	基本训练
university support staff	大学服务人员	background reading	背景阅读
online forum	在线论坛	soil sample	土壤样本
blood pressure	血压	stress level	压力级别
school stadiums	校体育馆	school gym	校健身房
less oxygen	缺氧	accurate date	确切日期
similar age	相似年龄	sports activities	体育活动
art institution	艺术机构	abstract design	抽象设计
largest proportion	最大比例	observation checklist	观察清单
non-observation method	非观察手段	professional learning	专业学习
test results	测试结果	original jewellery	原样珠宝
wood curve	年轮	crisis management	危机管理
monitoring progress	监管进程	program assessment	程序评定
team building	团队建设	leadership skills	领导力
budget management	预算管理	finding investment	寻找投资
insufficient revenue	财政收入不足	food shortage	食物缺乏
power cut	停电	visual guidance	视觉引导
information resources	信息来源	reference letter	推荐信

11.4 Section 4

1. 名词、动词、形容词语料训练

□ code	[kəʊd]	n. 密码
□ maximum	['mæksɪməm]	adj. 最大的
□ coconut	['kəʊkənʌt]	n. 椰子
□ mould	[məʊld]	n. 模具
□ machinery	[mə'ʃiːnərɪ]	adj. 机械化的
□ elastic	[ɪ'lɑːstɪk]	adj. 有弹性的
□ vertical	['vɜːtɪkl]	adj. 垂直的
□ accountable	[ə'kaʊntəbl]	adj. 有责任的
□ decisions	[dɪ'sɪʒnz]	n. 决定
□ seasonal	['siːzənl]	adj. 季节的
□ herds	[hɜːdz]	n. 群
□ clay	[kleɪ]	n. 土
□ eco-cement	['iːkəʊsɪ'ment]	n. 生态水泥
□ nuts	[nʌts]	n. 坚果
□ arrows	['ærəʊz]	n. 箭头
□ spears	[spɪə(r)z]	n. 矛
□ concentrated	['kɒnsntreɪtɪd]	adj. 注意的
□ shipping	['ʃɪpɪŋ]	n. 运输
□ segments	['segmənts]	n. 部分
□ germs	[dʒɜːmz]	n. 细菌
□ corn	[kɔːn]	n. 玉米
□ insects	['ɪnsekts]	n. 昆虫
□ coastline	['kəʊstlaɪn]	n. 海岸线
□ reliable	[rɪ'laɪəbl]	adj. 可靠的
□ critical	['krɪtɪkl]	adj. 批判的/核心的
□ cognition	[kɒg'nɪʃn]	n. 认识
□ emotion	[ɪ'məʊʃn]	n. 感情
□ intelligence	[ɪn'telɪdʒəns]	n. 情报/智力
□ connected	[kə'nektɪd]	adj. 连接的
□ self-centred	[self'sentə(r)d]	adj. 自我的

□passive	['pæsɪv]	adj.	消极的/被动的
□stimulation	[ˌstɪmjʊ'leɪʃn]	n.	模拟
□lid	[lɪd]	n.	盖子
□gravity	['grævətɪ]	n.	重力
□stems	[stemz]	n.	茎
□obstacles	['ɒbstəkls]	n.	困难
□mechanism	['mekənɪzəm]	n.	进程/机械装置
□seminar	['semɪnɑː(r)]	n.	研讨会
□drought	[draʊt]	n.	干旱
□erosion	[ɪ'rəʊʒn]	n.	腐蚀
□digestion	[daɪ'dʒestʃən]	n.	消化
□furniture	['fɜːnɪtʃə(r)]	n.	家具
□retail	['riːteɪl]	n.	零售
□maturity	[mə'tʃʊərətɪ]	n.	成熟
□postal	['pəʊstl]	adj.	邮政的
□self-evaluation	[selfɪˌvæljʊ'eɪʃn]	n.	自我评估
□random	['rændəm]	adj.	随机的
□cost-effective	['kɒstɪ'fektɪv]	adj.	性价比高的
□navigate	['nævɪgeɪt]	n.	航行
□genetic	[dʒə'netɪk]	adj.	基因的
□density	['densətɪ]	n.	密度
□triangle	['traɪæŋgl]	n.	三角
□cliffs	[klɪfs]	n.	悬崖
□comprehension	[ˌkɒmprɪ'henʃn]	n.	理解
□format	['fɔːmæt]	n.	格式
□irrigation	[ˌɪrɪ'geɪʃn]	n.	灌溉
□contaminants	[kən'tæmɪnənts]	n.	污染物
□soldiers	['səʊldʒə(r)z]	n.	士兵
□concrete	['kɒŋkriːt]	n.	混凝土
□lifespan	['laɪfspæn]	n.	寿命
□therapy	['θerəpɪ]	n.	疗法
□temperature	['temprətʃə(r)]	n.	温度
□fluids	['fluːɪdz]	n.	液体
□kidney	['kɪdnɪ]	n.	肾

□ sustainable	[sə'steɪnəbl]	*adj.* 可忍受的
□ insects	['ɪnsekts]	*n.* 昆虫
□ portable	['pɔːtəbl]	*adj.* 便携的
□ excitement	[ɪk'saɪtmənt]	*n.* 激动
□ mammal	['mæml]	*n.* 哺乳动物
□ breathe	[briːð]	*v.* 呼吸
□ pollutants	[pə'luːtənts]	*n.* 污染物
□ guidelines	['gaɪdlaɪnz]	*n.* 方针政策
□ mapping	['mæpɪŋ]	*n.* 制图
□ calculator	['kælkjʊleɪtə(r)]	*n.* 计算器
□ perfumes	['pɜːfjuːmz]	*n.* 香水
□ exploration	[ˌeksplə'reɪʃn]	*n.* 探索
□ toothache	['tuːθeɪk]	*n.* 牙痛
□ pirates	['paɪərəts]	*n.* 海盗
□ powder	['paʊdə(r)]	*n.* 粉
□ cosmetics	[kɒz'metɪks]	*n.* 化妆品
□ carpets	['kɑːpɪts]	*n.* 地毯
□ tunnel	['tʌnl]	*n.* 隧道
□ packaging	['pækɪdʒɪŋ]	*n.* 打包
□ worms	[wɜːmz]	*n.* 虫子
□ odor	['əʊdə(r)]	*n.* 气味
□ butterflies	['bʌtəflaɪz]	*n.* 蝴蝶
□ contaminants	[kən'tæmɪnənts]	*n.* 污染物
□ bacteria	[bæk'tɪərɪə]	*n.* 细菌
□ protein	['prəʊtiːn]	*n.* 蛋白质
□ migration	[maɪ'greɪʃn]	*n.* 迁徙
□ morality	[mə'rælətɪ]	*n.* 道德
□ situational	[ˌsɪtʃʊ'eɪʃnl]	*adj.* 环境造成的
□ aspirations	[ˌæspə'reɪʃnz]	*n.* 渴望
□ amber	['æmbə(r)]	*n.* 琥珀
□ tolerance	['tɒlərəns]	*n.* 容忍
□ contribution	[ˌkɒntrɪ'bjuːʃn]	*n.* 贡献
□ irrigation	[ˌɪrɪ'geɪʃn]	*n.* 灌溉
□ humidity	[hjuː'mɪdətɪ]	*n.* 潮湿度

第3、4、5章测试题目个数一览表

3.2 Noun 特别名词

Test Paper	1	2	3	4	5	6	7	8	9
测试题目个数	112	143	113	112	145	113	104	152	142

4.2 Adjective 形容词

Test Paper	1	2	3						
测试题目个数	104	104	126						

4.3 Adverb 副词

Test Paper	测试题目个数	12

5.2 特别名词

Test Paper	1	2	3	4	5	6	7	8	9
测试题目个数	114	111	114	105	100	108	130	144	139
Test Paper	10	11	12						
测试题目个数	142	127	235						

雅思听力复数听写语料库测试题目个数一览表

Cambridge	1	2	3	4	5	6	7	8	9	10
测试题目个数	163	153	95	127	124	102	82	64	94	38

雅思听力拼写语料库

节名	Abbreviation 缩写	Pronunciation 发音	Grammar 语法错觉
测试题目个数	127	54	11

雅思听力生存语料库

8.2 Number 数字	Test Paper	1	2	3	4	5
	测试题目个数	18	10	21	17	14
8.3 Letters & Numbers 字母和数字	Test Paper	1	2	3		
	测试题目个数	18	10	8		
8.4 Units 钱数	测试题目个数	5				
8.5 Addresses 地址	Test Paper	1	2	3		
	测试题目个数	28	27	6		
8.6 Dates 日期	Test Paper	1	2	3		
	测试题目个数	19	7	17		
8.7 Major 专业	测试题目个数	44				

雅思听力动词语料库

9.2 特别动词

Test Paper	测试题目个数	109

第　章 *Test Paper*　　　　　　　　　　　**本次测试题目个数：**

		漏听	生词	对发音不熟悉	连读	拼写错误	大小写错误	单复数错误
第一循环	横向测试							
	纵向测试							
第二循环	横向测试							
	纵向测试							
第三循环	横向测试							
	纵向测试							

第　章 *Test Paper*　　　　　　　　　　　**本次测试题目个数：**

		漏听	生词	对发音不熟悉	连读	拼写错误	大小写错误	单复数错误
第一循环	横向测试							
	纵向测试							
第二循环	横向测试							
	纵向测试							
第三循环	横向测试							
	纵向测试							

第　章 *Test Paper*　　　　　　　　　　　**本次测试题目个数：**

		漏听	生词	对发音不熟悉	连读	拼写错误	大小写错误	单复数错误
第一循环	横向测试							
	纵向测试							
第二循环	横向测试							
	纵向测试							
第三循环	横向测试							
	纵向测试							

第　章 *Test Paper*　　　　　　　　　　　**本次测试题目个数：**

		漏听	生词	对发音不熟悉	连读	拼写错误	大小写错误	单复数错误
第一循环	横向测试							
	纵向测试							
第二循环	横向测试							
	纵向测试							
第三循环	横向测试							
	纵向测试							

▢maturity	[məˈtʃʊərətɪ]	n.	成熟
▢barrier	[ˈbærɪə(r)]	n.	阻碍
▢tuna	[ˈtjuːnə]	n.	金枪鱼
▢gill	[gɪl]	n.	鳃
▢cables	[ˈkeɪbls]	n.	电缆
▢oyster	[ˈɔɪstə(r)]	n.	牡蛎
▢shipping	[ˈʃɪpɪŋ]	n.	运输
▢guessing	[ˈgesɪŋ]	n.	推测
▢relaxation	[ˌriːlækˈseɪʃn]	n.	放松
▢concentration	[ˌkɒnsnˈtreɪʃn]	n.	注意力
▢literacy	[ˈlɪtərəsɪ]	n.	读写能力
▢predators	[ˈpredətə(r)z]	n.	捕食者
▢molt	[ˈməʊlt]	n.	脱毛
▢diversity	[daɪˈvɜːsətɪ]	n.	多样性
▢cement	[sɪˈment]	n.	水泥
▢cognitive	[ˈkɒgnətɪv]	adj.	认知的
▢peers	[pɪə(r)z]	n.	同龄人
▢rational	[ˈræʃnəl]	adj.	理性的
▢willing	[ˈwɪlɪŋ]	adj.	意愿的
▢instinct	[ˈɪnstɪŋkt]	n.	天性/本能
▢reward	[rɪˈwɔːd]	n.	报酬
▢boiler	[ˈbɔɪlə(r)]	n.	水壶
▢monument	[ˈmɒnjʊmənt]	n.	纪念堂
▢mechanism	[ˈmekənɪzəm]	n.	机械设施
▢genetic	[dʒəˈnetɪk]	adj.	基因的
▢random	[ˈrændəm]	adj.	随机的
▢drawback	[ˈdrɔːbæk]	n.	缺点
▢obligation	[ˌɒblɪˈgeɪʃn]	n.	义务
▢responsibility	[rɪˌspɒnsəˈbɪlətɪ]	n.	责任
▢rags	[rægz]	n.	破布
▢rainbow	[ˈreɪnbəʊ]	n.	彩虹
▢desert	[ˈdezət]	n.	沙漠
▢lizard	[ˈlɪzəd]	n.	蜥蜴
▢cliffs	[klɪfs]	n.	悬崖

2. 连读吞音语料训练

low impact	小冲击	alternative energy	新能源
roads and bridges	路和桥	high absence rate	高缺席率
persuasive writing	说服性文章	academic essays	学术论文
ocean conditions	海洋条件	study ability	学习能力
simple memories	简单回忆	information sector	信息部门
digital store	数码商店	volcanic dust	火山灰
bar code	条形码	climate change	气候变化
learning difficulty	学习障碍	reading difficulty	阅读障碍
low nutrition	缺乏营养	desert habitat	沙漠栖息地
no change	无变化	extra resources	额外资源
private property	私人财产	fruit growing	果树栽培
specialised software	专业软件	chewing gum	口香糖
water pipes	水管	big company	大公司
action plan	行动计划	window glass	窗玻璃
road building	道路建设	knife handle	刀柄
olive oil	橄榄油	goat skin	山羊皮
high temperatures	高温度	land bridge	陆桥
fresh meat	鲜肉	food intake	食物摄入
eating pattern	吃饭习惯	transport museum	交通博物馆
water tanks	水箱	government election	政府选举
car tax	购车税	food chain	食物链
textile factory	纺织厂	tea tree oil	茶树油
video cameras	摄像机	carbon dioxide	二氧化碳
global warming	全球变暖	online service	在线服务
social activities	社会活动	further training	进阶训练
internal flight	国内航线	traffic flow	车流量

short stroke	短笔画（写字）	large-scale housing	大面积住房区域
group meeting	团队会议	standard feedback	标准反馈
protective clothing	保护衣物	mission statement	任务清单
training session	训练阶段	soil damage	土壤损害
broken axe	坏的斧子	fish bones	鱼骨
triangle-shaped	三角形的	absence rate	缺席率
alternative energy	新能源	green tax	环保税
transport service	运输服务	sleeping disturbance	睡眠障碍
public square	广场	feeding time	喂食时间
vertical cabin	垂直座舱	ask for apology	寻求道歉
voices and faces	声音和脸	heart rate	心率
red blood cell	红细胞	Indian tribes	印第安部落
grain pattern	谷物图案	prime motivation	主要动机
streets and roads	街道和道路	forest planet	森林星球
desert habitat	沙漠生态	extra resources	额外资源
ship building	造船	natural fibre	天然纤维
melting pot	熔炉	carbon mining	碳矿
fishing lesson	钓鱼课程	window glass	窗玻璃
knife handle	刀柄	known world	熟悉的世界
silver coins	银币	Roman emperor	罗马皇帝
social conformity	社会从众性	digital store	数码商店
information sector	信息部门	law firm	律师事务所
protective clothing	防护衣物	market share	市场占有率
olive oil	橄榄油	goat skin	山羊皮
private property	个人财产	reflective practice	应激训练
habitat loss	栖息地丧失	rich experiences	丰富经历

zero noisy	无噪声的	durable contracture	持久性痉挛
land resources	陆地资源	fish farming	鱼类养殖
hospitality industry	酒店管理	time and sequence	时间和顺序
language barrier	语言障碍	wealthy people	富有的人
food prices	食物价格	absence rate	缺席率
presence rate	出勤率	direct route	直接路线
tracking devices	跟踪设备	operation manager	执行经理
fish hooks	鱼钩	rare glass	稀有玻璃
cooperation process	合作过程	social glue	社会黏性
carpet case	地毯箱	transport system	交通系统
hand torch	手电筒		